Getting Started
Clicker Training
for Dogs

犬のクリッカー・トレーニング

カレン・プライア 著
河嶋 孝 監訳

二瓶社

はじめに

犬を愛する皆さんへ

クリッカー・トレーニングに関心を持っていただいて、うれしく思います。このトレーニングは、嘘ではありませんし、特に特殊な方法でもありません。クリッカー・トレーニングとは、犬のトレーナーが、オペラント条件づけの正の強化を使った方法を言う言葉です。オペラント条件づけとは、動物が環境から影響を受けるのではなく、動物が環境に能動的に働きかけることで、一定の行動を発達させる、という科学的な理論のことです。

オペラント条件づけは、自然界における動物の学習に基づいているため、いかなる状況下でも応用のきく原則です。これを犬のトレーニングに使った場合の可能性は、計り知れません。クリッカーを、警察犬、介護犬、聴導犬、生まれて間もない子犬に使おうとするトレーナーもいれば、服従競技、アジリティ（障害物競走）、ハンティング、フィールドトライアル、臭跡追及、ドッグショーのために、そしてまた家庭犬の「しつけ教室」や各家庭で使おうと、方法を模索する人も出てきました。

クリッカー・トレーニングについて

クリッカー・トレーニングに欠かせないのは、クリッカーでもえさでもありません。「強化子（行動を強化するもの）」、つまり犬が好きなもの（おもちゃ、なでることなど）と、タイミングの合った合図です。これで、人間と犬のコミュニケーションができます。まずは、えさを強化子、クリッカーを合図として使ってみましょう。犬にとっても、クリッカー・トレーニングの初心者にとっても、これが最も簡単です。互いに働きかける新しい方法を、犬と一緒に学んでいきましょう。

強化を使ったトレーニングで、教えられないことはありません。どんな行動を、どのように、いつさせるかをいったん理解させた後は、クリッカーの代わりに言葉を使い、えさをやる代わりになでてやります。言葉をかけてなでるだけなら、時間や場所を問いません。

クリッカーを使って犬が動作を覚えると、人間がその動作を変更しない限り、犬は生涯、その動作をします。いくつかの動作を教えたら、一つごとにクリッカーを鳴らしたり褒めたりする必要はありません。全部やらせてから一回だけ強化します。慣れてくると、犬の反応を速くしたり、新しいことを教えたりしない限り、クリッカーは要りません。犬と何かして遊びたくなったときも、どうぞクリッカーをお使いください。クリッカー・トレーニングは、犬にとっても人間にとっても楽しいことだからです。

でも、どうやって始めたらいいのでしょうか？　熟練したクリッカー・トレーナーなら、数分もあれば基本を教えることができますが、教えてくれる人は少数ですから、たいていの人は自分で学ばねばなりません。この薄い本は、皆さんに基本をお教えするものです。犬に最初の芸を教えてみてください。この本でクリッカー・トレーニングを少し理解すれば、ほかの本やビデオがもっともっと面白くなるはずです。何千人何万人の優れたトレーナーが、この本で第一歩を踏み出しています。

巻末には、本書以外の情報源をあげました。メーリングリストなどは無料ですから、大いに利用してください。利用するだけでなく、皆さん自身が新しいクリッカー・トレーナーとして、他の飼い主やトレーナーに情報を提供することもできるでしょう。楽しんでいただくことを祈っています。皆さん全員が、このクリエイティブなトレーニングの発展に貢献することができるのです。

カレン・プライア

犬のクリッカー・トレーニング　もくじ

第1章　犬とイルカ

犬、イルカ、トレーニング

テレビやマリンパークでイルカのショーをご覧になれば、イルカがすばらしい学習能力を持っていることをご存じでしょう。イルカは、指示に従って、見事な曲芸や、他のイルカや人間とのチームワークを披露してくれます。その生き生きした反応と利口さに、観客は目を見張ります。犬もあんなによく反応してくれればいいのに！

イルカのトレーナーならよく知っていますが、イルカもトレーナーも決して天才ではありません。イルカのスピード、正確さ、生き生きした作業ぶりは、すべてトレーニング方法のおかげです。そして、同じ方法を犬に対して使うことも可能です。

最初から罰を使わない

イルカのトレーニングで最初に理解する必要があるのは、イルカを罰することが不可能なことです。どんなに腹が立っても、たとえばイルカに故意に水を浴びせられても、仕返しはできません。リード、ムチ、げんこつでさえも、楽々と泳ぎ去るイルカには無力です。空腹にして協調を強いることもできません。イルカは、食べる魚から水分を取っています。魚を与えなければ、イルカはすぐに脱水症状を起こし、食欲もなくして死んでしまいます。業を煮やして怒鳴りつけても、イルカは知らんぷりです。

「イルカを罰する方法だってあるに違いない」と思う人もあるでしょう。もちろん、あるでしょうが、イルカのトレーナーには不要です。トレーナーは、褒めること、つまり「正の強化」だけを使って何でもやらせることができるからです。必要なのは、バケツ1杯の魚と笛だけ。イルカのトレーナーは、正の強化だけで、あらゆる芸の形を作りあげます。また、指示に対する迅速で確実な反応を引き出し、服従させます。仲間への攻撃、別のプールへの移動を拒むといった悪いことをやめさせることもできます。正の強化をうまく使えば、動物が生き生きと喜んで動くようになります。

犬を教える際には、必要な動作をさせるにも、間違いを正すにも（間違いは必ずあります）、強制力がよく使われます。もちろん、褒める、なでるといったこともしますが、犬は必ず何らかの困惑、恐怖を味わい、場合によっては肉体的な痛みを経験するものです。こういった「負の」体験に耐えられる犬もいますが、野生動物であるイルカは耐えられません。強制力を使って教えることもできるかもしれませんが、イルカはのろのろと不機嫌に、いい加減な芸を見せるだけになり、人間に敵意を見せるようにすらなります（そんな犬をご存じでしょう?）。

一方、正の強化を使って、イルカと同様に犬を教えれば、犬はイルカのように動きます。生き生きと、集中して、正確に、人間とチームワークを保ってすばらしい動作を見せるようになります。これから、その方法をお教えしましょう。

魔法の合図——条件性強化子

犬の訓練をしている人たちに見受けられる大きな誤解は、正の強化が「えさ」を意味すると思われていることです。それは間違いです。イルカからすばらしい動作を引き出す最も重要なものは、ご褒美のえさではありません。イルカは、魚ではなく、笛を意識しています。笛の音こそ、パフォーマンスを引き出す魔法の合図なのです。

イルカのトレーニングの第一歩は、笛の音が聞こえれば魚がもらえると教えることです。笛

＝「魚が落ちてくる」ことを学びさえすれば、後は笛を使って望ましい動作をマークします。そして徐々に、指示に従うことを教え、複雑な曲芸の形を作り上げます。

例をあげましょう。イルカがたまたま空中に跳び上がっているときに何度か笛が聞こえたとします（笛の後には魚が落ちてきます）。まもなくイルカは、トレーナーの姿を見るとジャンプするようになります。そのうち、このジャンプが、トレーナーの腕が上がっているときにしか「効果がない」ことを悟ります。腕を上げることが、ジャンプへのゴーサインとなるわけです。トレーナーは、徐々に他の条件も加えていきます。ジャンプの「効果」は、トレーナーの近くから観客の方向へ跳んだときだけ、120センチ以上跳んだときだけ、腕を上げてから3秒以内に跳んだときだけ、といった具合です。何度かトレーニングを重ねると、指示に従って確実に「お辞儀」をすることも教えます。イルカにしてみれば、してやったりと思っているでしょう。「トレーナーが腕を上げたときに、決まった形のジャンプをしてやりさえすれば、笛が鳴って必ず魚が落ちてくる！」

笛が指示ではないことに注意してください。笛は、イルカに何かの動作を開始するよう指示するものではありません。指示は、手の合図です。笛は、動作の途中や終わりに鳴って、その動作がトレーナーの意思に沿ったものであること、ご褒美（食べ物にこだわる必要はありません。なでること、おもちゃ、もう一度演技をすることでもかまいません）に値するものであることをイルカに伝えます。

これで笛は、「条件性強化子」になりました。心理学の用語では、えさ、なでることなどのご褒美は「無条件性強化子」といいます。トレーニングなしでも動物が欲しがるものです。笛、つまり条件性強化子は、動物がトレーニングによって欲しがるようになったものを指します（えさを「一次強化子」、合図を「二次強化子」と呼ぶ人もいますが、こうすると「二次」である笛が「一次」であるえさの後にくると誤解する人がいて、そうなると動物にとってもトレーニング道具としても無意味ですから、ここではその用語は使いません）。

条件性強化子が重要な理由

トレーナーのそばから観客の方向へ、指示に合わせてジャンプするという簡単な芸を、笛なしで教えるとしたらどうなるでしょうか？　まず、イルカがジャンプしている最中に魚を与えることは不可能です。イルカがどんなジャンプをしても、褒美の魚は後で口に入るか、まったくないかのどちらかです。なぜ、あるジャンプには魚がなくて、あるジャンプには魚があったのか、ジャンプの何がトレーナーのお気に召したのか、イルカには理解できません。高さかな？　跳び上がった形、それとも着地の形？　決まった高さ、タイミング、方向のジャンプを作り上げるには、何度も何度も試行錯誤を重ねていかねばならないでしょう。百発百中、正しい芸ができるまでに、イルカが（トレーナーも）退屈しなかったら幸運というものです。

このように意思の伝達が不十分なため、条件性強化子なしに直接えさで教えられた動物は、一所懸命に演技をするものの（空腹である限り）、なかなか習得できません。犬の場合でも、理由を知らせる明確な合図なしに褒美を与えられた犬は、生き生きと人懐っこく見えますが、何も理解していません。

また、条件性強化子なしにえさを使うと、動物が常にえさをねだる癖がつきます。馬ならトレーナーのポケットに鼻を突っ込み、犬なら手をなめます。イルカならトレーナーの立つ場所の周囲を泳ぎ回り、魚のバケツばかり見ています。イルカがトレーナーの方ばかり見ていると、観客の方向へジャンプするよう教えるのが困難になります。

しかし、条件性強化子に慣れさせれば、イルカが遠くで動作していても、観客の方向を向いていても、笛を使って簡単に正しい動作をマークすることができます。条件性強化子を知っている動物は、えさの周りに寄ってくるのではなく、自分のするべきことをし、何をしていても「魔法の音」を注意深く聞いています。馬や犬にとっても、集中力は、訓練をしやすくする重要な資質です。

条件性強化子は一瞬のタイミングを捉える性質を持っていますから、笛は、トレーナーが求めるものを正確に伝えます。動物にさせたい動作を、非常に明確な形で、部分ごとに分けて教えることができるのです。たとえば、イルカが1つの規則(「この方向へ跳ぶ」)を覚えたとします。跳ぶように指示する度に、イルカが常に正しい方向へ跳ぶようになれば、規則を習得していることがわかります。次に、その動作をもう少し限定する、つまり規則を1つ追加します。「高いジャンプだけを強化する」と決めましょう。まもなく、イルカはこの規則も覚えます(「この方向へ、この高さに跳ばねばならない」)。

このステップ・バイ・ステップの手順は面倒なようですが、複雑な演技を教える優れた近道です。気難しいイルカでも、2、3日あれば、指示に合わせて前述の「お辞儀」のような形の決まった動作を教えることができます。うまくいけば、10分間のトレーニング・セッション1回でできます。私がイルカを教えていたとき、1回のセッションで動作を「捉え」、特定の形に作り上げ、指示を付けるところまで到達したことは何度もありますし、他のトレーナーも同じでした。

犬はどうか？

10分間もあれば、条件性強化子を使ったイルカのトレーニングを、簡単に自分の犬に試すことができます。笛を怖がる犬もいますから、犬用の手軽な条件性強化子としてクリッカーを使用します。これは、指でつまむと「カチ、カチ」と鳴る子どものおもちゃで、玩具店や雑貨店のほか、多くのＷｅｂサイトで買えます。びんのふた、ホッチキス、ボタン式のボールペンの音を合図にすることもできます。

クリッカーと少量のえさを準備しましょう。えさを小さく切り、犬が15～20個食べても満腹にならない大きさにします。食事の前ならドッグフードで釣れる犬もいますが、もっと魅力ある食べ物がよいかもしれません。初めて触れる犬で実演するとき、私はよく鶏肉の細切れを使います。まず、クリッカーを鳴らしてえさを与えることを4、5回繰り返し、犬にクリッカーの意味を教えます。屋内、野外ともに場所を変えて行います（特定の場所でないとクリッカーの意味がないような印象を、犬に与えないためです）。

しばらくしたら、クリッカーを鳴らし、えさをやらずに何秒か間を置きます。犬が少し驚いて、えさを探すそぶりを見せたら、クリッカーが条件性強化子になった証拠です。今度は、動作を作りましょう。これを「シェイピング」といいます。

「尻尾を追いかける」のは、簡単な動作の例です。この動作を引き出すには、さまざまな方法があります。首輪を持って回してもいいし、ベーコン油を犬の尻尾の先に塗ってもいいでしょう。しかしここでは、まったくのゼロから、何の刺激も使わずに動作をシェイピングする方法を説明します。

クリッカーを鳴らすのをやめ、ただ待ちます。犬は、このとき既に興味をそそられて興奮しているでしょう。飼い主が何もしないと、恐らくごそごそして、鼻を鳴らしたり、吠えたりするかもしれません。犬が偶然、右方向へ動いたり、回ったりしたらクリッカーを鳴らします。

そして、えさを与えます。クリッカーの音は、使う側にも情報を与えてくれます。鳴らすのが早すぎたり遅すぎたりするとわかるので、正しいタイミングをマスターできるわけです。言葉では、タイミングのずれが明確にわかりません。

また待ちます。犬が右へ動く以外は、何をしても無視します（奇跡を期待しないでください。頭をちょっと右へ向けるか、右足を1歩横へ踏み出すだけでいいのです）。この動作を「捉える」ことができ、クリッカーのタイミングが良ければ、3、4回のうちに犬はもっと右へ、もっと何度も回るようになります。

こうなったら、右へ1歩だけでクリッカーを鳴らす必要はありません。右回りで何歩か、次は円の4分の1ほど、次はまる1周回ったときにクリッカーを鳴らします。到達に時間はかからないでしょう。

このあたりで、第1回のセッションを終えます。進歩している間にやめるのが鉄則です。クリッカーをしまい、犬を十分に褒めて遊んでやり、次の日にまた1歩から始めます。1歩から、4分の1周、それ以上へ、と、2回目は1回目より速く進むと思います。

1周ができたら、次は2周回らせます。そして次が大切です。変化をつけるのです。半周で鳴らすときもあれば、2周、1周、3周、1周と4分の1で鳴らすときもあります。犬は何周回ったらいいのかわかりません。1周で鳴るときもあれば、2周のときもあるので、犬はわからないままに回り続け、速く速く回ります。こうして、犬が尻尾を追いかけて回るという面白い芸を作ることができました。

もちろん、これは馬鹿馬鹿しい芸であって、威厳のある芸ではありません。練習に使えそうな動作は、他にもあります。たとえば、ターゲティングというのは、鼻を何かに触れさせることです（アシカのトレーナーは、自分のこぶしに鼻で触れるよう教えます。すると、こぶしを地面に着けたり、上に上げたり、台の上にもっていくことによって、強制力を使わずにアシカを好きな方向へ動かすことができます）。この実験の目的は、犬に芸を教えることではなく、条件性強化子を使ったシェイピングの方法とその効果を確かめることです。

なぜ、クリッカーを使うのでしょうか？　声や「よしよし」という言葉では、条件性強化子にならないのでしょうか？　最大の理由は、たとえ「よし」という短い言葉でも、何分の1秒というクリッカーの精度には及ばないことです。クリッカーを少し練習すれば、非常に微妙な動き、たとえば前足を右へ1歩踏み出すといったことでも、起こったその瞬間に強化することができます。褒め言葉は時間がかかるため、どうしてもあいまいになります。

言葉を使う第２の難点は、人間はいつも話をしていて、強化していないときでも犬に話しかけているということです。犬にとって、人間の連続する声の中から、自分に意味のある言葉を聞き分けるのは困難です。しかし、クリッカーは部屋の中にある他の音とは違いますから、意味が非常に明確になります。条件性強化子に慣れた犬がクリッカーに反応する様子（電気ショックを受けたような鋭い集中力）を見れば、声に反応する犬（一瞬考えてから、尻尾を振る）との違いは明らかです。

条件性強化子を使う現場

「クリッカーは遊びの芸にはいいけれど、それだけだ。競技会には持ち込めない」と、犬のトレーナーが言うのを聞いたことがあります。もちろん持ち込めませんが、そもそも必要がありません。クリッカーは、新しい動作をシェイピングし、細かく動作の内容を決めるところに意味があるのであって、既に学んだ動作を見せるときには不要です。優秀なチャンピオン犬でも、条件性強化子が有効な訓練ツールとなる場合があります。あるトレーナーが、自分のドーベルマンにクリッカーを教え、作業中に訓練士から目をそらさず注目する動作を強化したと話してくれました。「犬は、クリッカーを使ったコミュニケーションを本当に喜んでいるようだった。それまであいまいだったことが、すっきりしたんだろう」と、彼は言いました。それで、何が求められているかを理解した犬は、クリッカーがなくても競技会場で正しく動きました。

しかし、競技会場でだれも条件性強化子を使っていないとは考えないでください。クリッカーの代わりに、犬以外にはだれも気づかない合図を考えればいいだけです。優秀なトレーナーで、ほとんど聞こえないような「フン」という鼻息を条件性強化子に使っていた人を知っています。犬の頭の上に指1本で触れるだけで「よくできたね！」という意思を伝える人も見たことがあります（犬のうれしそうな顔を見ればわかります）。あるトレーナーは、レックスという自分の犬に、えさを「ビリー」だと教えました。競技会場で犬がいい動き、たとえば「来い」がうまくできたりすると、その訓練士は「ビリー、付け！」と、まるで命令しているかのように犬を褒めます。なぜ競技会場で犬の普段の名前を使わないのか、尋ねる人はありませんでした。

犬が動作を習得した後は、条件性強化子を使って競技の進行に影響しないようえさを遅らせることができるだけでなく、褒美として与えるえさの総量も減らすことができます。競技が全部終わる前に、犬が満腹してしまう心配はありません。たとえば、ドッグショーで、犬に正しい姿勢と集中した表情を維持させようと、常にえさをやっているハンドラー（犬のリードを持っている人）がよくいます。えさが次々と犬の口に入っていくのを見ると、条件性強化子を知らない人だとすぐわかります。正しいポーズをシェイピングし、指示を教え（「気を付け！」）、正しい姿勢を一定時間維持するようクリッカーで強化すれば、どんなに効率的なことでしょう。本当のえさは後で、ショーリングの外か、審判員が通り過ぎた後に与えればいいのです。

条件性強化子のメリットは、情報を伝え、動物に動作をさせるという効果が、えさを与えるという実際の強化が望ましくない状況、もしくはそれが事実上不可能な状況でも常に発揮されることです。たとえば、物品選別（嗅覚作業）、足跡追及、長時間の座れ、伏せ、前進、鳥のポインティングとフラッシングなど、犬がハンドラーから離れる方向へ作業しなければならない場合、条件性強化子がどんなに便利かを考えてみてください。

正の強化で悪い行動をやめさせる

「矯正」ではなく正の強化で悪い行動を抑制するというのは、矛盾するように思えるかもしれません。しかし、イルカのトレーナーは多くの方法を知っています。3つの例をあげます。

1、負の条件性強化子を教える

必ずしも「これから殴るぞ」という合図である必要はありません（確かに、そうすることもできますが）。「いけない。その行動は強化しないよ」という合図です。これは、動物の行動に褒美が出ないことを伝え、動物はこの「赤信号」もしくは「いけない」合図が出れば、している行動を変えなければならないことをすぐに学習します。たとえばこれを使って、犬が来客に跳びつかずに床に座り、なでてもらうという正の強化を得るよう教えることができます。

2、正の強化で打ち消しの行動を教える

私が働いていたハワイの海洋水族館シーライフ・パークのイルカショーで、1匹のイルカが

出演者のの女性を追い回すようになりました。この女性にスタンガンを持たせる（もしくは、イルカを罰する）かわりに、私たちは笛と魚を使ってそのイルカに水中のレバーを押すことを教えました。そして、その女性が水中にいるときは、常にイルカにそれを命じました。レバーを押すことと女性を追い回すことは同時にできませんから、2つの動作は打ち消しあうことになります（女性を追い回すのをやめたところを見ると、レバーを押して魚をもらうほうが気に入ったようです）。このテクニックを使って、犬に部屋の入り口で伏せることを教えれば、人間の食事中におねだりをすることはありません。

3、タイムアウト

イルカが攻撃する（たとえば、頭や歯をトレーナーの手に当てる）など本当に悪いことをすることがあります。その瞬間、トレーナーは、道具と魚のバケツを持ってイルカに背を向け、まる1分間その場を去ります。楽しいことはすべて終わりというわけです。イルカはよく頭を水面に出し、驚いたような表情をします。「いったい何をしたって言うんだ？」。何度か同じことをすると、イルカは行儀よくなります。犬の場合、短時間ケージの中に入れるなどすれば、同じ効果があります。

タイムアウトは、海洋動物を扱うトレーナーが人間への攻撃をやめさせるのに使って成功しています。成長したオスのシャチなど、非常に支配的な動物に対しても効果は同じです。ただし、これは動物を苦しめるので、ひんぱんに使用してはいけません。

心構え

強化は、人間が頭を使わなければならないので疲れます。本当に大変な作業なのです。犬が粗相をしたら床に鼻をこすり付け、ついてこなければチェーンをぐいと引っ張る方が、ずっと簡単です。しかし、何を強化したいのかを考えることで、優れたトレーナーが育ちます。それに、完璧なタイミングで強化子を与えるためには集中力が必要ですから、退屈ではなく刺激的なトレーニングができます。

動物の視点から見れば、このようなトレーニングは、要求される通りのことをして面倒を避けるのを学ぶといったつらい仕事ではありません。繰り返し褒美を勝ち取り、自分の世界を少なくとも部分的に自分で支配するという喜びが得られます。たとえば、イルカの視点から言えば、いったん笛の意味を知ると、トレーニングが単なる命令と服従のやりとりだけではなく、イルカがトレーナーに笛を吹かせるさまざまな方法を「発見」しようとする当てっこゲームとなります。これは、厳しいルールの決まったゲームであり、双方が対等な立場になります。イルカにすれば、トレーナーに自分の言うことを聞かせていると思って喜んでいます。

正の条件性強化子の効果は、単にえさを与えることより格段に強力です。悪いことをやめさせるばかりでなく、明確な条件性強化子を使って正しい行動をシェイピングするようになれば、犬は新しい意味で飼い主を尊敬するようになります。犬にしてみれば、やっと飼い主を理解できるようになったのです。

第2章　始めましょう

クリッカーで教える簡単な動作

よく訓練された犬というのは、来客に跳びつかず、吠えすぎず、ソファーに寝そべらない……何も悪いことをしない犬だと思われがちです。ですから「トレーニング」とは、跳びつき、無駄吠え、リードを引っ張ることなど、悪い行動をやめさせることだとよく勘違いされます。従来のトレーニングは、恐らく大半が行動の抑制と防止でした。犬を押したり、リードを付けて引いたりして何かをさせ、犬が気に入らない動作をしたらまたリードを引っ張って矯正し続けました。

クリッカー・トレーニング、つまりオペラント条件づけは、まったく違います。クリッカーを使うと、新しい方法でお行儀のいい犬を作ることができます。悪いことをするのをやめさせるのではなく、正しいこと、つまり来客を行儀よく迎え、吠えるべきときに吠え、リードを引っ張らずに歩き、行くべき場所（ソファーではなく床、花壇ではなく芝生）だけに行くことを教えます。

犬のトレーナーに対して、医者か自動車技師に対するようにものを言う人がいます。「こういう問題なんだ。どこが悪くて、どう直せばいいのか教えてくれ」。クリッカー・トレーナーは、そのようにはお手伝いしません。飼い主に、犬の動作を作り上げる一般的な方法をお教えするだけです。その方法を理解すれば、自分で好きな動作を作っていただけます。

クリッカーとえさを使って特定の動作を作るレシピ集のようなものはありません。「リードを引っ張らずに歩く」という1つの行動を、私は私の形で、モーガン・スペクター氏（クリッカー・トレーニングに関する別の本の著者）はスペクター氏の形で教えます。他のトレーナーも、みな自分の形で教えて成功しています。これから書くことは、基本的な動作を作る簡単なマニュアルです。取りかかりをお教えするだけで、これだけに盲従していただくものではありません。いくつかの動作をあげますが、好きなものから始めてください。犬によって、覚えやすい動作と覚えにくい動作があるかもしれません。1回のセッションで、全部やってみてもいいでしょう。とにかく、実験です！

問題に突き当たったら、まず第3章「トレーニングのヒント」と第4章「こんなときどうする？」を読んでください。最初は、多くの人が同じような問題を経験し、疑問を持つものです。手に入る資料を活用しましょう。クリッカー・トレーニングをマスターするには、試行錯誤と研究が必要です。みな、そうして上手になりました。

また、その時によっても犬によっても反応が異なります。臨機応変に、イマジネーションを使って進めてください。動物のほうが人間より早く慣れることもあります。根気よく、トレーニングを楽しみましょう。

基本

オペラント条件づけは、ダンスや楽器演奏と同様、積極的に体を動かす作業です。本を読んだり、議論したりするだけでは、習得できません。やってみることが必要です。必要なのは、自分のペット、ペットの大好物、2、3分の時間です。

クリッカー・トレーニングの準備として、20～30個のご褒美を作ります。おいしいものであれば、ソーセージ、鶏肉の残り、チーズなど何でもかまいません。豆粒大ぐらいに切ります。マルチーズなど小型犬であれば、1個でもごちそうです。成犬のグレートデンなら、1回に数個は口に入れてやらないと食べた気がしないでしょう。

最初は、市販の犬用のおやつは使いません。少し慣れたら、乾いていて手の汚れない市販品をポケットに入れ、既に教えた動作を新しい環境で練習するなどしてもかまいません。しかし、犬も飼い主も、この新しい意思疎通の方法を学ぼうとする今は、生の「本物の」食べ物を使います。

たいていの市販品は、少し味がいいだけですし、噛むのに多少時間がかかります。これが問題なのです。クリッカー・トレーニングは、タイミングがすべてであり、シェイピングを進めるリズムを習得する必要があるからです。このリズムがしょっちゅう乱されていたのでは（もぐもぐ噛んだりして）、犬も人間もすぐに他のことに気をとられてしまうでしょう。飼い主は「今日は、テレビで何があるかな」、犬は「昨夜は、ここへだれか来たのかな。くんくん」といった具合です。ですから、少なくとも最初は、犬が一口で飲み込める食べ物を使います。これで、意思疎通が始められます。

1回目のセッション

最初のセッションは、数分間だけでもかまいませんが、静かなところで気分を集中させます。犬も人間も新しいことを学ぼうとしているのですから、邪魔が入らないことが大切です。

よく知った場所で、気を散らすもののない場所を選びます。居間か台所がいいでしょう（野外は、犬にとって気が散るものが多すぎます）。犬と自分だけになるのを待ちます。ああだこうだと横から口出しする人は、絶対に要りません。他にもペットがいるのであれば、一時的に別の場所に隔離します。

ご褒美のえさを食器に入れ、自分の手には届くけれど犬には届かない場所に置きます。動き回る覚悟をしてください。ソファーに座ったままではだめです。人間が動けば、犬も動こうとするものです。

最初、食べ物にあまり関心を示さない犬もいます。それは、それでかまいません。クリッカーの意味がわかれば、自然に食べ物をもらう喜びが増します。最初は、短いセッションを犬の食事前にすることを勧めます。そうすれば、自然な食欲を利用して、犬の関心と意欲を高めることができます。

子犬の場合

子犬でも、迎えたその日からクリッカー・トレーニングを始められます。従来の方法のように首輪とリードを使いませんから、子犬が一定の月齢になるのを待つ必要はありません（子犬は食欲のかたまりですから、飼い主にクリッカーを鳴らしてもらおうと喜んで練習し、成犬より早く習得するのが通常です）。

もちろん、生後６カ月、６年、16年の犬でもクリッカー・トレーニングを始められます。みんな、この「ゲーム」が大好きです。犬の種類も、性別も、性格も関係ありません。ハイテンションで走り回る犬も、静かで動きたがらない犬も、臆病な犬も大丈夫です。

ここでは、人間と犬が慣れるために基本的な５種類の練習をします。「座れと伏せ」「呼ばれたら来る」「リードを引っ張らずに歩く」「ターゲット・トレーニング」「箱を使った101の芸」です。どれから始めてもかまいません。全部やってもいいでしょう。犬によって、学びやすい動作と学びにくい動作がありますから、３、４セッションであまり進歩が見られないようなら、別の動作を先に教え、後で元の動作に戻ります。

クリッカーを使った「座れ」と「伏せ」

まず、えさを準備します。クリッカーを鳴らすと同時に、犬がすぐに食べられる鼻先へえさを差し出します。少し移動しながら、何度か繰り返します。この最初の何回かは、犬にクリッカーの音の意味を理解させるものです。クリッカーとえさの間隔を変えてみます。鳴らしてすぐ与えたり、1、2秒待ったりします。必ず、音が先、えさが後です。クリッカーを鳴らすまで、えさをやる手は後ろに回すか、動かさずにおきます。でないと、無意識な手の動きが、えさの合図になってしまいます。時には、えさをやってから何秒か次のクリッカーを鳴らさずにおきます。これで、犬はさらにクリッカーの重要性を認識するでしょう。

次に、クリッカーを鳴らし、犬が見える床（もしくは食器の中）へえさを落とします。犬が見つけられなかったら、教えてやります。これは、クリッカーが鳴ったらえさが来るのは確かだが、いつも同じ場所とは限らないし、すぐ来るとは限らない、ということを犬に教えるものです。これも、2、3回やります。

クリッカー・トレーナーの中には、この条件づけをしつこく繰り返す人もいますが、私は少しだけです。犬がクリッカーの音で耳をピクッとさせるようになったら、次は犬（もしくは他のペット）に、自分の行動でクリッカーを鳴らせるということを教える時期だと思います。

ステップ１

座れの動作を教えるには、まず利き手でクリッカーを持ち、反対の手でえさを持ちます。えさを握った手を犬の頭上にかざし、耳の間を通過するようにして後方へと動かします。すると犬は上を向きますから、上を向いたことに対してクリッカーを鳴らします。これを繰り返します。１、２歩さがって犬を来させ、犬があなたの顔を見たらクリッカーを鳴らします。これも、繰り返します。

次に、少しだけ犬の上にかがみます。すると、犬は反って腰が下がります。この動きにも、クリッカーを鳴らします。えさを与え、繰り返します。動作を速くして、何度もクリッカーを鳴らしましょう。小さいこと（飼い主の目を見たとか）にでもクリッカーを鳴らす方が、何もご褒美をもらえない時間が続いて犬が関心を失ってしまうより効果的です。

何度かすると、犬が座ります。クリッカーを鳴らして、すぐにえさを与えます。１歩さがって犬を来させ、少し待ちます。人間が何もしなくても犬が座るかどうか試します。座ったら、クリッカーを鳴らして繰り返します。横にも1、2歩動きます。犬に笑いかけ、なるべく目を合わせ、待ちます。犬は、前にえさをもらったことを覚えていて、たいていもう一度座ります。座ったら、クリッカーを鳴らし、えさを与えてください。

クリッカーを鳴らしてえさを見せると、犬は跳びついてくるものです。それでかまいません！ 従来のトレーニング方法とは違い、えさをやったときに犬が何をしてもかまいません。ポイントは、クリッカーを鳴らすときです。クリッカーの音は、人間が望む行動を「マーク」します。犬は、クリッカーが鳴ったときに自分が何をしていたかを自然に覚えます。

さて、最初、犬が座らなくてもあきらめないでください。握った手とご褒美を使って、また犬の頭を後方へと釣るところから始めます。犬を押さないでください。何をするか命じてはなりません。「命令を出さずにどうしてわかるんだ?」と思うかもしれませんが、心配無用です。クリッカー・トレーニングでは、命令することから始めるわけではありません。まず、望む動作を引き出し、後でその動作に名前を付けます。

犬が人間に何度も跳びついてきたら? 無視してください。やめるのを待ちます。犬が前足を地面に着けたら、手を頭上にやるところから、また始めます。

ステップ2

今度は、座らせる時間を延ばします。犬が座るのを待ちます。クリッカーを鳴らし、えさを与えます。次に座ったら、すぐにはクリッカーを鳴らしません。えさを持った手を引っ込めます。それでも犬は座っていますか？　座っていれば、クリッカーを鳴らしてえさを与えます。クリッカーの音を遅らせることで、犬にクリッカーが鳴るまで座って待っていることを教えます。犬を励ますためにクリッカーを鳴らし続ける必要はありません。今のところ、クリッカーは動作の終了を意味します。クリッカーを鳴らすのを保留することで、動作の時間を延長できます。犬に話しかけないでください。犬に無駄なおしゃべりをしても、混乱を招くだけです。黙って実行しましょう。

セッションの終了

ひんぱんな短時間のセッションのほうが、数少ない長時間のセッションよりも効果的であることは、研究によって証明されています。最初のセッションは、せいぜい4、5分にします。犬も人間も、まだ楽しいうちにやめます。1～3回目ぐらいのセッションでは、ステップ1、よくてもステップ2までしかできないかもしれません。それで十分です。犬が新しい「ゲーム」を気に入って30分もやりたがるようなら、最初のセッションでステップ6まで進んでもかまいません。ステップ2までしかしていないのに、ステップ3か4までできる犬もいます。どんどん進んで、後で前のステップに戻ることもできます（2回しかクリッカーを鳴らしていないのに、望む動作ができてしまってもかまいません。クリッカー1回、1回が大切です）。少しでも進歩することが大切です。

犬のやる気がなくなったり（慣れていない最初のうちは、よくあることです）、人間のほうがいらいらして腹が立ってきたら、やめてまた後にしましょう。ひんぱんにトレーニングをしていれば特に、各セッションの間にも犬が驚くほど学習しているのがわかります。今日できなかったことが、明日は自然にできているかもしれません。

ステップ3

犬が自分で座り、手で釣らなくても数秒間座るようになったったら、えさを握った手の使い方を変えます。犬を「伏せ」の姿勢に釣るのです。えさを握った手を、座っている犬の鼻に付けます。そして、ゆっくりと前足の間、犬に非常に近いところへ、手を下げていきます。犬は、鼻で手を追いながら上体を曲げて、伏せ始めます。最初は、前足が曲がり始めたらクリッカーを鳴らし、えさを与えます。2回目は、もう少し手を下げてゆっくりと床に付けます。犬は伏せましたか？　よろしい。クリッカーを鳴らしましょう。立ち上がってしまいましたか？　かまいません。立っている間にえさをやってください。そして、もう1回、釣ります。

ステップ4

自分で今がチャンスだと思ったら、下へ釣る動きを少なくします。えさを持っていることを犬に知らせつつ、鼻先を下へ釣るのをやめて待ちます。犬が、自主的に座るのを待つのです。完全に「伏せる」まで待つ必要はありません。前足を前へ伸ばしだしたら、前足が曲がり始めたら、もしくは床に向かって頭を下げたら、クリッカーを鳴らします。クリッカー（と、それに続くえさ）は、犬が床へ床へと向かうことが正しいと伝えます。また待ちます。時間を与えましょう。今度は、前より進むまで待ちます。ひょっとしたら、完全に伏せるかもしれません。

繰り返します。犬の行動を見つめましょう。犬の顔に「わかった！」という表情を見てとれるかもしれません。伏せればクリッカーが鳴ることを理解した瞬間です。生後6～8週間の小さな子犬でも理解します。この瞬間から、犬は意図的に伏せ始めます。床に転がって見せるかもしれません。転がったら、何度もクリッカーを鳴らして褒めてやるだけでなく、手のひらいっぱいのえさを与えます。この大げさな瞬間を、「ジャックポット（大当たり）」と呼びます。

トレーナーのラーナ・ミッチェル氏の言葉を借りれば、これはトレーニング「ゲーム」であって、犬が頭を使うゲームです。犬が、座って待てば飼い主がクリッカーを鳴らすことを悟ったとき、つまり、犬が自分でえさという賞品を「勝ち取る」ことができると悟ったとき、犬は重大なことを習得したのであり、人間はこれをさまざまな形で発展させていくことができます。これは、重要な学習の第1歩です。犬にとって、ドキドキするような体験となるでしょう。

トレーニングの注意――新しいセッションは復習から開始

セッションの最初に、1歩後戻りするのはいいことです。前のセッションでステップ5まで進み、犬が自主的に座るようになっていたら、次のセッションは軽くステップ4の復習から始めます。犬を釣って座らせ、「伏せ」の途中でクリッカーを鳴らし、次に自主的に完全な伏せをするまで待ちます。2、3回復習して犬が調子づいてきたところで、先へ進みます。

「伏せ」を含め、あらゆる動作の今後のステップは、動作の時間を延長し、犬の気を散らす誘惑を加え、指示を与えることです。手による指示でも、言葉でも、両方でもかまいません。このようなステップについては、59ページの「トレーニングの技術を磨く」を参照してください。

クリッカーを使った「呼ばれたら来る」

呼ばれたら来る！　これは、あらゆる飼い主の悩みです。絶対的な「来い」を教えるのは、単純なようで決して簡単ではありません。このトレーニングには、よく考え、集中することと、ある程度の常識が必要です。クリッカーは、ここでも非常に役立ちます。

ステップ1

床に座ります。犬に自分の方へ来るよう促します。犬が来たら、クリッカーを鳴らしてえさを与えます。立ち上がって移動します。また呼びます。これを繰り返してください。

犬が別の部屋にいるときに呼びます。来たら、クリッカーを鳴らしてえさを与えます。これを、一日のさまざまな時間、呼ばれると犬が思っていないときにも実行します。犬が反応したら、必ずクリッカーを鳴らしてえさを与えます。犬が来なければ、何度も呼ばず、さっさとクリッカーとえさをしまうところを見せます（もし、別の犬や猫を飼っていれば、これみよがしにクリッカーを鳴らしてえさを与えます）。

子どもも手伝うことができます。子どもたちを部屋の両側に立たせ、1人に犬の名前を呼ばせます。犬が振り向いたら、子どもが「来い」と言い、床をたたくなどして犬を来させます（えさを見せないでください！　えさは隠しておきます）。犬が来たらクリッカーを鳴らし、子どもの手からえさを与えます。次は、反対側の子どもが犬を呼びます。

小さい子犬でも、すぐにこれは面白い遊びだと思って、2人の子どもの間を行き来してえさをもらうようになります。

ステップ2

屋外で試します。鉄砲玉のような犬の場合は、3人で行います。犬に長いリードを付け、1人がその端を持ち、残りの2人が交代で犬を呼びます。確実さを高める上で重要なのは、えさでも呼び方でもなく、来たときに鳴るクリッカーです。ここに学習が起こります。

犬を散歩に連れ出しましょう。手を放すと自動的に巻き上がるリール式のリードは便利です。これなら犬は十分に遠くまで行けて、実際には自由でないにもかかわらず、自由な気分になれます。ときどき、犬を呼びます。近くからでも遠くからでも、来たらクリッカーを鳴らしてえさを与えます。犬が無視したら、10歩か20歩いて、再び呼びます。

犬が常にリードを引っ張っているようなら、リードを短くし、立ち止まって犬が引っ張るのをあきらめるまで待ちます。そして呼びます。犬がすぐ近くにいてもかまいません。振り向いたら、クリッカーを鳴らしてえさを与えます。リードを引っ張ったり、来ないからといって叱らないでください。叱ると、犬は「来い」という言葉を「嫌なこと」と受け取ります。

犬が呼ばれて来るたびに、必ずクリッカーを鳴らします。クリッカーを持っていなければ、舌を鳴らすか、「よし」という言葉（クリッカーほど明確ではありませんが、ないよりましです）を使います。犬が、百発百中、まっしぐらに帰ってくるようになるまで、公共の場所でリードを外さないでください。犬がそれまで何年も「来い」を無視しているような場合は、確実に来るまでに何週間もかかります。迎えたばかりの子犬なら、数日間で大丈夫でしょう。

ステップ3――野外で放す

家から離れた場所でどうしても犬を放したいなら、最初は、柵があってまったく何もない場所で放します。犬を十分自由に遊ばせた後、「来い」と呼び、さらに確実にするためにしゃがんで招きます。来たらクリッカーを鳴らして「ジャックポット」にし、家へ帰ります。この最初の1回のトレーニングを、記憶に残るものにしてください。

野外にいて犬が来ないようなら、犬をつかまえに行きます。リードを付け、犬を家か屋内に連れ戻します。4回も5回も無視してようやく来るようなことには、しないでください。それは、犬に最初の何回かは無視していいと教えるようなものです。つかまえて叱らないでください。叱ると、次につかまえるのが難しくなります。ただ静かに、家へ連れて帰ります。むしろ、犬が首輪をつかまえさせたら、クリッカーを鳴らしてえさを与えます。こうすることで、つかまえられるのを嫌がるのを防ぎます。

周囲に非常に強力な誘惑がある、たとえば公園にリスがたくさんいるような場合は、誘惑自体を強化に使います。犬に長いリードを付けて、公園へ行ってみましょう。犬をしばらく自由にさせます。そしてやおら、呼びます。来たら、クリッカーを鳴らし、えさを与える代わりにリードを放してリスを追いかけさせてやります。せいぜい、けしかけてやりましょう！

そして、犬をつかまえ、リードを持ち、家へ帰ります。これは確かに、トレーニングと逆のような印象がありますが、実際、この強化を使うと「呼ばれたら来る」という動作が確実になります。

犬が確実に来るようになってきたのに、ある日突然、まったく無視するようなことがあります。それまで何度も呼んでは強化してきたのに、突然、うまくいかなくなるのです。このようなときは、犬にとってマイナスの行動をとります。犬を呼び、一度だけ来るチャンスを与えます。来なければ、すぐに犬を連れて帰ります。まったく遊ばせてはなりません。次に散歩に出かけたときは、きっと以前のように走って来ることでしょう。来なければ、少し前のステップに戻って復習から始めます。作業を簡単にするとともに誘惑を減らし、クリッカーとえさがもらえるチャンスを増やします。

ステップ4――「来い」を維持する

「来い」というのは、非常に重要な動作ですから、犬の生涯を通じて大事にする必要があると思います。日常的なことも、敏速な「来い」の強化に使いましょう。たとえば、犬に夕食を与えるとき、おやつの骨を与えるとき、一緒に遊ぼうとするとき、犬がどこにいても呼んでみます。来たらクリッカーを鳴らし、夕食なり骨なり、ボールなりフリスビーなりを与えます。

ほとんどの犬は、車に乗るのが好きです。犬を車に乗せてどこかへ行こうとするときは、「来い」と声をかけ、来たら車のドアを開けて犬を乗せてやります。犬を飼っている限り、「来い」を必ずいいことの前兆と思わせます。この練習は、将来いつか大いに役立つことでしょう。

リードを引っ張らずに歩く

今、練習しているテクニックは、「シェイピング」といいます。従来のトレーニング方法のように最初から完璧な動作をやらせようとするのではなく、動作を少しずつ形作っていくからです。ひとつの行動をシェイピングするにも、さまざまなやりかたがあります。ここでは、リードを引っ張らずに歩くことを教える多くの方法を紹介します。飼っている犬が、既にひどく引っ張る場合は、その癖を直さなければならないので時間が余計にかかるかもしれません。ここに紹介するヒントをもとに、実験を重ねてください。腕力を使わず、頭を使ってトレーニングしましょう。

ステップ1

犬を、歩きまわれる静かな部屋か広い屋内に連れて行きます。自分の太ももを叩き、犬を呼びながら左側に来させます。来たら、クリッカーを鳴らしてえさを与えます。

左足から歩き始めます。ももを叩くか、言葉を使って犬を来させます。えさで犬を釣らないでください。えさにしかついて来なくなります。犬が人間について来ることを教えましょう。犬がついて来たら、クリッカーを鳴らしてえさを与えます。えさをやるときは、歩きながらではなく、立ち止まってください。習得すべき動作の最中に食べていたのでは、紛らわしくなります。えさを与える位置は、重要ではありません。クリッカーを鳴らす位置が、だいたい自分の横であればいいのです。

また歩き始めましょう。犬が一緒に歩き出したらクリッカーを鳴らし、止まってえさを与えます。今度は3歩歩き、犬が横についてきたらクリッカーを鳴らします。方向転換し、犬を来させ、逆方向に歩きます。3歩ごとにクリッカーを鳴らします。犬がついてきたら、4歩ずつ、5歩ずつに延長します。

ステップ2

歩く速度を変えます。もっと何歩も歩きます。速く歩いたり、ゆっくり歩いたりしてみましょう。なるべく、犬にとって簡単にクリッカーを鳴らしてもらえるようにします。犬が離れていっても叱りません。戻ってきたらクリッカーを鳴らします。

方向転換したり、回れ右をしている最中も、犬が足の近くにいればクリッカーを鳴らします。止まってみましょう。犬も近くで止まれば、クリッカーを鳴らします。速く歩いたり、遅く歩いたりします。クリッカーが5秒か10秒に1回は鳴るようにしますが、必ず意味のあるときに鳴らします。このトレーニングは短時間でやめましょう。数分間で十分です。

ステップ3

野外へ出ましょう。安全のために、犬にリードを付け、リードを自分の腰に結びます。こうすれば、リードをぐいと引っ張りたくなったり、引き戻したくなったりする衝動を抑えることができます（やたらと引っ張る犬の多くは、飼い主が常に引き戻そうとしつつも結局は犬の好きな方向へついて行くために、引っ張る癖がついています）。また犬を呼び、3歩でも5歩でも10歩でも、適当な間隔でクリッカーを鳴らします。自分で判断してください。犬が何歩ついて来れるかを数え、それを基準にします。

犬が飼い主に注意を払いつつ、まっすぐ長い間歩くことができるようになったら、方向転換やカーブを加え、歩く速度を変えます。犬はこのゲームが好きで、何があっても足の横にくっついているために、飼い主の心を読もうとします。犬がなるべく勝てるよう、難しさを調節しましょう。

犬が、関心のあるものを見たり、臭いをかぎつけたりして、リードを引っ張り始めたらどうしましょう？　止まってください。じっと立ちすくみます。犬が引っ張っている間は、何も起こりません。犬がリードを緩めたら、クリッカーを鳴らしてえさを与えます。何度も散歩しながら、誘惑のレベルを上げていきます。引っ張ったら何も起こらず、緩んでいれば、ほかの犬や人間でも、消火栓でも、行きたいところへ歩いて行けることを犬に学ばせてください。

犬が自主的にリードを緩めているようにすることが、クリッカーの目的です。徐々にこれが習慣化すれば、褒めたりクリッカーを慣らしたりするのは、1回の散歩に1、2回で済むようになります。そして最後には、お行儀よくリードを緩めて歩くことが当然の習慣となるでしょう。

引っ張り癖のある犬

何歩かごとにクリッカーを鳴らし、立ち止まってえさをやるという簡単なプロセスを、散歩のたびに何度か繰り返せば、ちょっとした引っ張り癖のある犬も、かなりお行儀がよくなります。時々は立ち止まって、犬に周辺の臭いをかがせてやりましょう。このお楽しみは、引っ張らないことに対するご褒美です。臭いをかぎたいものがあるたびに、飼い主を引っ張って無理やり獲得する自由とは違います。

犬が飼い主を無視して、引っ張ったまま好きな方向へ歩きだしたら？　リードを腰に結びます。大型犬なら、転ばされないようにスニーカーを履きましょう。今度は、犬の歩き回りたい気持ちを強化に使います。犬が引っ張れば、立ち止まり、絶対に動いてはなりません。黙っていましょう。犬が振り返ったら、太ももを叩きます。犬がリードを緩めて寄ってきたら、クリッカーを鳴らし、前へ歩き始めます。犬はまたすぐに引っ張ります。特に、これまで何年も引っ張っていた場合はそうです。再び立ち止まり、リードが緩めば、クリッカーを鳴らして進みます。

最初のセッションでは、1回に1歩も進めないかもしれません。これは、うんざりするものです。すぐにトレーニングを切り上げるつもりでいてください。1歩歩いては止まるという作業に疲れたら、犬を屋内か車の中に入れ、また次の日にチャレンジします。遅かれ早かれ犬は降参し、引っ張らずに飼い主を待つようになります。これで、やっとクリッカーを鳴らすことができます。

簡単な方法

「リードが緩むたびにクリッカーを鳴らしてえさを与える」という簡単な規則1つで、引っ張り癖を直せる場合もあります。犬に普通にリードを付けて散歩に行きますが、リードはこの場合も腰に結びます。犬がいつものように引っ張って歩き出し、たまたま臭いをかいでいてリードが緩んだら、クリッカーを鳴らしてえさを与えます。10分間も歩けば、犬の態度が変わっていることでしょう。

実は、これを2匹の犬に対して行うこともできます。「両方のリードが緩んだら、クリッカーを鳴らしてえさを与える」というのが、ルールです。注意深く見ていてください。犬たちに引っ張らせるのが癖になっていて、犬が引っ張るのをやめた微妙な瞬間を見過ごすかもしれません。犬たちが草むらの臭いをかいだり、体をかいたり、互いにかぎあったりして止まっていませんか？　理由が何であれ、片方が止まって、もう片方も止まったらクリッカーを鳴らし、両方にえさを与えます。これも、すぐに効果が現れます。クリッカーのタイミングさえ合っていれば、しばらくの散歩を２、３日続けるだけで十分です。

ジェントル・リーダー

ジェントル・リーダーというのは、馬の端綱のような製品で、犬の鼻先と首に輪をかけます。そして、あごの下で締めるようになっています。口輪ではないので、犬は自由に口を開けることができますが、犬が引っ張ると頭が後ろか下へ引かれるので、行きたい方向を向けません。ですから、引っ張るのをやめます。何もトレーニングをする必要はありません。リードを持って歩くだけです。最初は、犬が外そうとするかもしれませんが、子犬が普通の首輪を嫌がるようなもので、すぐに慣れてリードを緩めて歩くようになります。これは、犬の引き癖を一時的に治す優れた製品です。体力のない飼い主や、子どもが大型犬を散歩させる場合は、永久的に使うこともできます。ジェントル・リーダーは、ペットショップや多くのＷｅｂサイトで販売されています。

ターゲット・トレーニング

クリッカーを使って犬に教えておくと非常に便利な動作の1つに、棒の先などの「ターゲットに触れる」動作があります。使い道はいろいろありますが、まず犬を好きな方向へ動かすことができます。ソファから下ろす、車に乗せる、手入れ用の台に乗せる、ベッドの下から出すなど、押したり引いたり叩いたりしなくても、犬は喜んで人間に従います。

ステップ1

クリッカー・トレーニングに関するWebサイトでは、折りたたみ式のアルミ製ターゲット・スティックを売っていますが、細い棒なら何でもかまいません。60〜90センチあれば、庭木の枝でもことが足ります。小型の愛玩犬（もしくは猫）なら、鉛筆か箸でもいいでしょう。

棒、えさ、クリッカー、犬を準備します。えさを棒の先にこすり付け、犬の鼻先へ差し出します。犬が棒の臭いをかいだら、クリッカーを鳴らし、棒を引っ込めてからえさを与えます。繰り返します。棒を、3センチぐらいずつ、下や横へ動かします。犬が棒に鼻で触れたり、触れないまでも棒を見たりしたら、クリッカーを鳴らします。

何度かクリッカーを鳴らしたら、立って犬を一緒に歩かせ、犬の鼻先へ棒を出し、犬が歩きながら簡単に棒に触れられるようにします。犬はなぜか、動いているときのほうが、ターゲットについてくるようです。犬が棒に触れるたびに、立ち止まり、えさを与え、また歩き始めます。左右に方向を変えてみます。自分の周りを4分の1周回れるかどうか試してください。できたら、半周、次にまる1周回らせます。

ステップ2

犬が喜んでターゲット・スティックについてくるようになったら、ほかのことをしている合間にときどき2、3分使ってみます。障害物（くずかごなど）を迂回《うかい》させる、テーブルの下をくぐらせる、テーブルの足を縫うように歩かせる、小さいジャンプをさせる（ほうきの柄や自分の足を伸ばして跳ばせる）などの動作をしてみましょう。初めてできたら、クリッカーの後にたくさんえさを与えてください。臆病な犬は、これで自信をつけていきます。

野外へ出て、知らない場所や誘惑のある環境で、障害物を迂回させたり跳ばせたりします。

犬がついて来なくなったら、3センチの距離から棒に触らせてクリッカーを鳴らすレベル、もしくは1、2歩ついて来させてクリッカーを鳴らすレベルに戻ります。犬を車に乗せる、降ろす、箱や荷車の中に入れる、出す、といったことに、ターゲット・スティックを使ってみます。イマジネーションを働かせてください。新しいことに1つ成功するたびに、犬は飼い主に対する信頼を深めます（飼い主も成功すればうれしいものです）。

ステップ3

ほかの物をターゲットにしてみましょう。マーガリンのふたなどは、犬に見えやすいのでよく使います。ふたを床に置き、ターゲット・スティックで触れます。犬がどちらに触れてもクリッカーを鳴らします。または、ふたを手に持って、犬が触れたらクリッカーを鳴らし、徐々に床に下げて手を離します。ふたを部屋のどこかに置き、犬が飼い主から離れてふたに触れに行ったらクリッカーを鳴らします。棒もふたも、アジリティの障害物を教えるのに使えます。次に、犬がターゲットに触れている時間を延長します。毛の手入れをしているとき、足を調べているとき、爪を切っているときなどに、犬が長い時間、鼻をターゲットに付けていればクリッカーを鳴らします。動物病院に行って、獣医が診察、治療を行う間、犬をじっとさせておくのにも、ターゲットを使うことができます。

箱を使ってできる101の動作
――成犬、疑い深い犬、訓練済みの犬に適した練習

このトレーニング・ゲームは、私と仲間が１９６９年に"*Journal of the Experimental Analysis of Behavior*"（実験的行動分析に関する研究雑誌）に発表した「イルカの創造性――新しい動作の訓練」というイルカの研究プロジェクトから生まれたものです。犬のトレーナーは、このゲームをよく使います。犬の精神的、肉体的な柔軟性を促進し、自主的に何かに挑戦する勇気をつけさせるので、矯正主体のトレーニングを長く受けてきた「クロスオーバー」犬に特に効果的です。

ステップ1

普通の段ボール箱を用意します。大きさは問いませんが、高さは9～10センチにそろえ、床

に置きます。犬が箱を見たら、クリッカーを鳴らしてえさを与えます。犬が偶然にでも箱に近づいたり、そばを通り過ぎたりしてもクリッカーを鳴らします。クリッカーを鳴らした後、えさを箱の近くか中に落とします。犬がえさを食べようと箱の方へ１歩踏み出したら、クリッカーを鳴らしてえさをもう１つ与えます。犬が箱へ入ったら上出来です。再びクリッカーを鳴らし、前のえさを食べている途中であっても、もう１つ投げてやります。

短時間で、箱に関する多くの動作をマークできることもあります。やり方はこうです。箱に近づくか、箱の中に入ったらクリッカーを鳴らします。箱の中にえさを投げ、今度は箱の外で手にえさを持つ、という具合に繰り返し、犬が箱と人間の間を行き来するようにします。犬が箱に入りたがらず、中のえさを食べなくても気にしません。犬は、えさをもらったと知っています。箱の中にえさが積もっていってもかまいません。箱に入ったときに、ジャックポットになるだけです。犬が箱に入る前にトレーニング・セッションをやめることになっても大丈夫です。箱の中のえさを拾い、次のセッションで使いましょう。大切なのは、えさをやる前に必ずクリッカーを鳴らすということです。そしてクリッカーは必ず、犬の何らかの動作に対して鳴らしてください。

クリッカーを鳴らす動作がもっと欲しければ、部屋を歩き回り、自分と犬の間に箱がくるようにします。そうすれば、犬が箱の方向に歩く可能性が高くなります。犬を呼ばず、箱を叩かず、しゃべらず、犬をせかしたり、そそのかしたりもしないでください。それは、犬の猜疑心を強めるだけです。犬がどんなに遠くからでも、箱の方へ歩いたらクリッカーを鳴らしてえさを与えます。箱へ近づいたか、箱のそばを通ったかで5、6回、クリッカーを鳴らしたあと、犬が関心を失ってどこかへ行ってしまってもかまいません。またいつでも、この箱ゲームを再開できます。セッションとセッションの間に強化の効果が出てきて、このたわいないセッションを重ねるごとに犬が生き生きしてきます。

これは、つまり犬に新しいゲームの新しいルールを教えているのです。従来の方法で訓練された犬は、大原則として「何かをするよう命じられるまで待つ」ことを覚えています。ですから、この新しいゲームのルール「何か自主的に行動を起こせば、クリッカーを鳴らすよ」ということが、理解しにくいわけです。そんな場合は、この箱ゲームは特に価値があります。最初の小さな第1歩がドキドキする出来事です。傍目にはわからないかもしれませんし、今のところ飼い主にもわからないかもしれませんが。

最初のセッションの最後に、「何の動作に対してでもなく」クリッカーを鳴らし、えさを一握り、もしくは食器ごと与えてジャックポットにします。そこで、犬は考えるでしょう。次回、段ボール箱を出すと、犬は「クリッカー、えさ、ジャックポット」を思い描いてピンと反応します。「あの箱が出てくると、飼い主が変なことをするぞ。でも、ともかくいいことだ。箱で何ができるかな?」。これは、犬にとって新しい考え方ですが、次第にそう考えるようになります。

犬が非常に疑い深い場合は、最初の練習をもう1、2度、もしくは、犬が「とにかくクリッカーが鳴れば、おいしいえさがもらえる。あの箱はわなではないし、クリッカーとえさが出る合図だ。飼い主にクリッカーを鳴らさせる方法さえ見つけだせばいい」と思うまで、何度か繰り返します。

ステップ2

同じセッションのうちに起こるか、何度かのセッションの後で起こるかはわかりませんが、クリッカーを鳴らすべき動作をあげます。犬が箱に足を踏み込むこと、箱を押すこと、箱に前足で触ること、箱をなめること、箱の臭いをかぐこと、箱を引っ張ること、箱を持ち上げること、箱に体当たりすること。つまり、犬が箱を使ってすることすべてです。

必ず、犬がその動作をしている途中にクリッカーを鳴らしてください。動作を止めた後ではありません。クリッカーが鳴れば、当然、犬はえさをもらうために動作を止めます。しかし、クリッカーが動作をマークした限り、犬は同じ動作、もしくは似たような動作を再びして、クリッカーを鳴らさせようとします。ですから、クリッカーによる中断で動作を失うことはありません。

そのうち、犬が箱で次々と何かやり出すかもしれません。上出来です！　これで犬は、クリエイティブな方法で問題に対処することを覚えました。犬がいろいろなことをして、何にクリッカーを鳴らしたらいいのかわからなくなったら、ジャックポットを出してセッションを終わりましょう。今度は、次のセッションまで飼い主が考える番です。

犬によっては、もっと慎重にゆっくりと状況を確かめることもあります。そのような犬は、前にクリッカーを鳴らされたのと同じことを注意深く繰り返します。たとえば、箱に前足を1本入れるとします。しかしその後、人間が心を柔軟にしてクリッカーを鳴らすことを他に見つけないと、前足、クリッカー、前足、クリッカー……という堂々巡りになってしまいます。それでは、このゲームの意味がありません。

ですから、犬が何度も同じ動作を繰り返そうとしたら、クリッカーを控えてください。犬が前足を入れても、クリッカーを鳴らさずに待ちます。人間が動作を変えれば、犬も動作を変えます。犬は、もっと長い間、前足を入れておくかもしれません。よろしい。それは新しい動作ですから、クリッカーを鳴らします。前足を引き抜くかもしれません。それにも、1、2回、クリッカーを鳴らします。もう1本の前足も入れるかもしれません。それもクリッカーを鳴らします。これで、犬は次も新しいことをするでしょう。

その後は、どうしましょう？　箱に何かすることがゲームのポイントだと犬が悟れば、選ぶ動作は豊富にあります。今度は、決まった動作にクリッカーを鳴らします。これから目標に向かって進むための動作です。たとえるなら、文字が書かれたブロックが箱いっぱいあって、そこからブロックを選んで目指す単語を綴っていくようなものです。この過程を「シェイピング」といいます。

ステップ3

さまざまな動作から、目標の動作を形作ることができます。段ボール箱に関する動作から、何をシェイピングできるでしょうか？

たとえば「箱に入って待つ」ことです。そもそもの動作は、犬が箱に前足を1本入れることです。この動作にクリッカーを鳴らし、えさを投げて与えます。次は、クリッカーを鳴らさず待ちます。犬が前足を2本入れるかもしれません。クリッカーを鳴らします。足を4本とも入れるかもしれません。クリッカーを鳴らします。これで、犬が箱に入りました。ここからは、箱の中に座ったり伏せたりして待つ、クリッカーが鳴るまで箱の中で待つ、呼ぶまで箱の中で待って人間のところへ来ることでクリッカーを鳴らしてもらう、などという動作を作ることができます。

応用

犬に寝床へ入ること、ケージに入ることを教えることができます。子どもたちにも、犬が箱に跳んで入って跳んで出てくるという動作にクリッカーを鳴らしてもらい、楽しく犬と遊んでもらいましょう（猫でもできます）。ある小学校3年生の担任教師は、学校行事の日に、自分のパピヨンをピクニックバスケットに入れて連れていったそうです。バスケットを開けると犬がぽんと跳び出し、子どもたちと遊ぶと、またぽんと中に入ります。

動作——箱を運ぶ

そもそもの動作は、犬が箱の端をくわえ、床から持ち上げることです。

応用

箱を運ぶこと、バスケットを運ぶことなど無数にあります。雑誌を元の山に戻す、おもちゃをおもちゃ箱にしまう、といったお片付けもできます。「物をくわえて持ち上げるとクリッカーが鳴る」という一般的なルールを習得した犬には、いろいろな動作を教えることができます。

動作——箱をかぶる

何に役立つかはわかりませんが、「箱を使ってできる101の動作」ゲームでよく生まれる動作です。犬が箱の縁近くを強く前足で叩くと、箱がひっくり返ります。

私が最初に飼ったボーダーテリアの「スクークム」は、居間にある籠（空っぽの丸い籐細工）をひっくり返し、中に隠れることを覚えました。スクークムは、そのまま這い回ったので、不思議な籠が床を動き回るように見えました。来客は皆、この犬のしぐさに大笑いでした。テリア系の犬は、人を笑わせるのが好きなようで（馬鹿にされることは嫌いますが）、この動作をマスターした後はクリッカーとえさで強化する必要がありませんでした。そして、お客様が来たときを見計らって、必ずこの芸を見せるようになりました。

トレーニングの技術を磨く

バリエーションを加える

トレーニングを面白いものにし、止まることなく進歩を続けていくには、クリッカーを鳴らす条件を追加していくことが必要です。クリッカーを鳴らす前に犬に多くを求め、動作を複雑にしていきます。たとえば、単純な「伏せ」を複雑にするには、次のような方法があります。

犬から離れます。それでも犬が伏せて待っていたら、クリッカーを鳴らします。

犬の前を左右に動き、飛び跳ねたり、音をたてたり、おかしな格好をしてみたりします。それでも犬が伏せて待っていたら、クリッカーを鳴らします。犬の周りを歩き回り、犬に触ってまた離れます。それでも伏せていたら、クリッカーです。立ち上がったら、また伏せるのを待ちます。再び伏せたら、クリッカーを鳴らします（もちろん、えさもやります）。もう一度歩き回り、同じことをして犬が伏せたまま待つようにします。

この伏せを、野外などの見知らぬ場所でします。犬が伏せなければ、遠慮なく1度か2度、えさで釣ってください。その後、自分から伏せたらクリッカーを鳴らします。新しい場所では、初心にかえってクリッカーを鳴らし、犬にとって作業が簡単なようにしてやる必要があります。

犬が伏せる時間を長くします。長さは、5秒、20秒などまちまちにします。子犬の場合、30秒以上を求めるのは無理です。続けて3分、5分と伏せて待つには、犬が退屈に耐えうる年齢になる必要があります。

指示を付ける

「伏せ」の動作を学んだ犬は、一日中、飼い主に向かって伏せて見せるようになります。えさをもらおうと、飼い主がどこにいようと走ってきて足もとに転がります。そうなったら、犬に合図、つまり「伏せ」などの指示を教えるチャンスです。

クリッカーが鳴るのは、「伏せ」を意味する言葉（もしくは合図）の後で伏せたときだけであることを、これから数日間かけて犬に理解させます。繰り返しによって、ただ伏せてももうクリッカーが鳴らないこと、正しい指示を待って伏せればクリッカーが鳴ることを、犬に自分で発見させましょう。

犬が伏せようとしているときに「伏せ」と言います。クリッカーを鳴らし、えさを与えます。次に声をかけて伏せさせるまで、２、３度待ちます。犬は勝手に伏せますが、何もしません。次は立つようにうながし、「伏せ」と言います。これで伏せれば、クリッカーを鳴らします。これを繰り返し、言葉の後の伏せにはクリッカーを鳴らし、言葉のない伏せは無視します。毎日、８～10回、１週間繰り返します。これを、「レスポンデント」条件づけといいます。最初は、オペラント条件づけよりも時間がかかり、繰り返しが必要です。忍耐強く繰り返してください。2、3の指示を学習すると、犬は指示一般の性質を理解します。次の指示は、より簡単に習得するでしょう。

手ぶりを使った指示を使いたい場合は（多くの犬は最初、言葉よりも手の合図によく反応します）、前記の手順にある言葉を手の指示に置き換えてください。通常、服従種目では、腕をまっすぐ上げるのが「伏せ」を意味する手符です。

犬が指示によく反応するようになったら、遠く離れたところから、犬が何かをしているとき、誘惑の多い場所などでも指示を出してみます。クリッカーのおかげで、犬は飼い主の指示に注意することを学び、場所や時間を問わず反応するようになります（動作の指示について詳しくは、拙著『うまくやるための強化の原理――飼いネコから配偶者まで』の第3章「刺激制御」をご覧ください）。

複数の動作を教える

これまで説明したプログラムに縛られる必要はありません。最初から、家のあちこちにクリッカーを置いておき、犬がいいことをしたら、手元にクリッカーがある限り鳴らしてやります。

たとえば、子犬が自分の場所に体を横たえたらクリッカーを鳴らし、しつけに利用します。ドアの近くか上着のポケットにクリッカーを用意しておけば、犬を新しい部屋に慣らすことも非常に簡単です。

子犬でも成犬でも、ブラシをかけてやる間、じっと立っているなどの動作にもクリッカーを鳴らすことができます。いろいろな動作にクリッカーを鳴らしても、犬が混乱することはありません。クリッカーは「お前の勝ち！」を意味します。犬は、人間にクリッカーを鳴らさせる方法がたくさんあることを学んで喜ぶものです。そして、自分がとても賢くなったような気分になるでしょう。

トレーニング友達を見つける

ペットを飼っている友人を見つけて一緒に始めるのも、クリッカー・トレーニングの可能性を探るいい方法です。本章は、クリッカーの手始めとして、いくつかの行動をあげています。２人が違う行動から始めれば、互いの発見を話し合うことができ、励みになることでしょう。チーム・トレーニングも、非常に効果的です。ハンドラーより、そばで見ている人の方が、犬の行動がよく見えることもあります。たとえば、ドッグショーでまっすぐに走る、服従種目で正面に座る、といった場合、1人がハンドラーになり、指示を出します。そしてもう1人が、犬が正しい行動をしたときにクリッカーを鳴らします。えさは、ハンドラーが与えます。

役割を交代ですることもできます。ハンドラーとして自分の犬のリードを引いてもいいし、犬を取り替えてもいいでしょう。こうすることで、見ている方は犬を観察して完璧なタイミングでクリッカーを鳴らすことに集中でき、ハンドラーはリードとえさと犬に集中できます。チーム・トレーニングは、自分たちの上達を早めるだけでなく、1人のときより犬に正確な情報を与えます。それに、トレーニングが楽しくなります。

腕を上達させる――他のよく知られているテクニックを利用する

オペラント条件づけは、ここで説明した基本的なシェイピング技術よりずっと奥の深いものです。使役犬や競技犬を訓練しようとするなら、行動連鎖、行動を継続させる条件性強化子、刺激転移など、効果的なテクニックを多く学んだほうがよいでしょう。参考までに、上達するにつれて関心がわくような本やビデオを巻末の資料にあげました。

第3章　トレーニングのヒント

ここにあげたヒントは、「第2章　始めましょう」を練習する際の参考にしてください。初心者が犯す一般的な間違いについて書いてあります。

常にクリッカーが先、えさが後

この種のトレーニングでは、犬を釣るために常に犬の前にえさを置いておく必要はありません。実際にえさが与えられるときには、犬は何をしていてもいいのです。犬は、「クリッカーを聞いたときにしていた行動」を永久に記憶します。クリッカーを鳴らした後は、犬がその行動をやめてもよく、えさをやってからまたトレーニングに戻れば何の問題もありません。

必ず行動の最中にクリッカーを鳴らす

クリッカーは、音の矢印のようなものです。クリッカーは、「この瞬間の行動に対してご褒美が出ましたよ」というメッセージを、動物の神経に迅速に伝えます。最も重要な瞬間に鳴らしてください。たとえば、何かを跳び越えることを教えているのであれば、クリッカーは跳ぶ前でも跳んだ後でもいけません。今にも跳びそうなときに鳴らさないでください。犬が空中にいるときに鳴らします。犬が跳ぶようになったら、たとえば着地の形を教えるために、正しく着地した瞬間に鳴らすことができます。えさは後でもかまいません。メッセージを伝えるのは、クリッカーです。

クリッカーは１回だけ鳴らす

特によくできたときに「カチカチカチ」と、何度もクリッカーを鳴らしたくなる衝動を抑えてください。犬に行動が正しかったことを伝えるのは、クリッカーのタイミングですから、何よりもタイミングが重要なのです。何度も鳴らしたら、どの音に意味があったのか犬は理解できませんから、行動が進歩しなくなります。また、クリッカーが複数回鳴ったときしか意味がないものと思ってしまいます。

犬の気を引くためや犬を来させるために、クリッカーを鳴らさない

確かに、最初は効果があります。それまで、犬の注意を引いたり来させたりするのに難儀し

ていた人は、この新しい反応がうれしくなって何度もやりたくなってしまいます。しかし、注意してください！

犬を呼ぶのにクリッカーを使ったり、犬が関心を持っているものから気をそらそうとしてクリッカーを鳴らしていると、実は、飼い主から離れている、誘惑物を探す、という行動を強化することになります。これでは、問題が悪化します。

犬をそそのかしたり、「行動を始めよ」という意味では使わない

「今何を強化しているのか」を常に考えてください。犬が躊躇したり、のろのろついてきているときにクリッカーを鳴らしたら、その躊躇やのろのろした行動を強化してしまいます。望ましい行動に対してのみ、クリッカーを鳴らしてください。

正しい大きさと種類のえさを使う

えさを褒美として与えることについて、一般的な規則を書きます。

犬が空腹なときにトレーニングを始めます。犬の朝食、夕食前の5分間をトレーニング時間

とするのが一般的です。

食器にえさを入れたまま、放置しないでください。えさを与える時間は、きちんと決めます。いつも犬が食べられる状態になっているのであれば（鳥や小動物について獣医が推奨するように）、トレーニング前２、３時間はえさをどこかへやってください。

褒美として与えるえさも、１日の食事量に入れてください。たくさん褒美を与えたときは、通常の食事量を減らします。

人間も犬も新しいトレーニングを始めたばかりのころは、いつものドッグフードではなく、嗜好性の強い、いいにおいのする食物を使います。

トレーニングを楽しいものにします。難しい行動を教えているときは、ときどき簡単な作業をはさみましょう。

作業の難易度に変化をつける

私は子どものころ、ピアノのレッスンが大嫌いでした。１つの曲が弾けるようになると、それを弾いて楽しませてもらうのではなく、すぐに新しい難しい曲を与えられたからです。

いつも慣れた簡単な行動から始めてだんだん新しい難しい行動にするのは、よくありません。犬はトレーニングを嫌いになり、早くやめたいと思うようになります。特に、動作の時間を延長させようとしているときは、簡単にしたり難しくしたり、行き来してください。犬に30秒間マットの上にいることを教えるときは、10秒、次に25秒、15秒、35秒、10秒、40秒など、クリッカーを鳴らすタイミングに変化をつけます。犬に、成功する希望を与えることです。セッションの締めくくりは、必ず簡単なことにし、犬が確実にえさを得られるようにします。

トレーニング・セッションは常に、短く変化に富んだものにする
――同じことを何度も練習しない

短い時間に集中してトレーニングしましょう。犬も人間も疲れる30分のセッションを3回するより、5分を3回するほうが効果は上です。この種のトレーニングでは、行動を「覚えこませる」ために何度も練習する必要はありません。従来の矯正方式で訓練してきた人は、シェイピングと強化で教えた行動が時間がたっても変わらないことによく驚きます。クリッカーでは、犬との意思疎通が可能です。犬は、人間が伝えたことを記憶し、喜んで繰り返します。セッシ

ョンの間隔が、何日、何週間、何カ月でも変わりません。

進歩は少しずつ

従来の一般的な訓練方法では、完成された動作を最初から要求し(「付け！」は、「私がどこへ行こうとも、ぴったり体側に付いて歩きなさい」を意味します)、少しでも外れた動きは矯正します。「矯正」の必要なく、長時間動作を継続できるようになれば、終わりです。強化による動作のシェイピングは、そうではありません。動作を、細かい段階に分けて構築します。犬は、新しい段階ごとに、強化子（クリッカー）を得る方法を自分で発見します。トレーナーにとって、このほうが頭を使いますが、進歩のスピードは目を見張るものがあります。

それでも、犬が長い間、進歩を見せない「頭打ち」になることがあります。そこは、頑張ってください。頭打ち状態が続いた後に、飛躍的に進歩することがよくあります。各トレーニング・セッションの最初に少し復習することをお勧めします。

知っているはずの動作が突然できなくなったら「初心にかえれ」

環境の変化が動物に思ったより大きな影響を与えることが、時々あります。たとえば犬が、家や家の庭や訓練所で完璧な「付け」「呼ばれたら来る」を見せていても、新しい場所ではそんな言葉など聞いたことがないような行動をする場合があります。叱ってはいけません。そんな動作を教えたことがないようなふりをして、最初にクリッカーを鳴らした動作に戻ってください。「30センチの距離からでも、来ればクリッカーを鳴らしてローストチキンのかけらをやる」ところまで戻ってもかまいません。そして新しい環境で、最初にシェイピングしたときと同様、難易度を徐々に上げます（安全のために、このときは犬にリードを付けてください）。

これが「初心にかえる」ということです。普通、シェイピングをざっと復習すれば、新しい環境でも動作ができるようになります。1セッションで済むことも、何セッションかかかることもありますが、最初に教えたときよりは確実に速いはずです。1セッションでできるようになったら、必ずおいしいえさでジャックポットを与えてください。

犬の心が読めるとは限らない

犬の態度から感情を読み取れることがあります（誤解することもありますが）。しかし、なぜそのように感じているのか、なぜ特定の行動に結び付いたのかは、せいぜい当て推量です。

犬が人間の予想する行動をとらないとき、何か理由を付ける人がよくいます。「プレッシャー」だとか、「状況をなめている」とか、「飼い主に仕返しをしている」とか、「支配的な性格」だとか、「虐待を受けた」とか……。そして、想像した原因に基づいて、罰によって行動を矯正することを勧めます。

そのような人に耳を傾けてはなりません。知っているはずの動作を突然しなくなったからと言って、考え込むのはやめましょう。理由などわからない可能性が高いからです。飼い主が白い靴を履いているときしかクリッカーの規則が当てはまらないと思っているのに、今日は紫色のスニーカーを履いているからかもしれません。再び動作ができるようになるまで、ただ初心にかえってシェイピングを復習し、簡単な段階から強化しましょう。

進歩している間にやめる

とても良い動作ができたときは、次へ次へと進みたくなるものです。そのうち犬は失敗し、動作が崩れてしまいます。うまくできているうちにやめることを学んでください。動物の心に「うまくいった」気持ちを残しておきます。進歩がなくて、トレーニングをやめたくなったときは、確実にクリッカーを鳴らせる何か簡単な動作をやらせてから終わりましょう。

トレーニングは楽しく

いらいらしたり、腹が立ったりしたら、すぐにトレーニングを終えます。腹が立っているときに、この種のトレーニングはできません。怒りがおさまるのを待って、後で再開しましょう。トレーナーのキャサリン・クローマー氏は、1杯のお茶が強化トレーニングに最も大切な道具であると言います。犬に怒りを見せてはなりません。犬は、飼い主の気持ちが予想できないものだと考えるようになります。

第4章　こんなときどうする？

よくある質問

「助けて！　どこから始めたらいいのかわかりません」

何らかの問題を直すことから始めるのはやめましょう。クリッカーは、動作を始めさせる道具であり、やめさせるものではありません。簡単な取りかかりとして、新しい動作を探してみましょう。犬が第2章にあげた動作をすでに習得している場合は、ぐるぐる回る、お辞儀をする、お手をする、雑誌のページをめくる、などといった簡単な芸を選びます。そして、その動作でクリッカー・トレーニングをします。

「私の犬は、クリッカーを怖がります。クリッカーを鳴らしたらベッドの下に逃げ込んでしまいました」

犬は、クリッカーの意味がわからずに怖がっています。正しい情報が不足しているのです。それでは犬に疑いを抱かせてしまいます（中には、新しい経験をすべて獣医に結び付ける困った犬もいます）。

心配しないで、情報を与えるよう努力してみましょう。クリッカーをポケットに入れるか、背後で鳴らすなどして、音を少し弱くします。金属部分に粘着テープを貼って消音することもできます。そして、犬の前で1回だけ鳴らし、夕食を与えます。もしくは、おいしいおやつか特別に面白いおもちゃを与えます。犬を外へ出すとき（または家へ入れるとき）、一緒に散歩に出かけるときなどにも、クリッカー（ポケットの中で1回だけ）を鳴らしてみます。日中でも夜でも、ある程度の間隔を置いて、「何かいいこと」にかこつけてクリッカーを鳴らします。犬がクリッカーをうれしいことに結び付けるまでには、恐らく3日もかからないでしょう。

「犬がえさを欲しがらず、食べ物では釣れません」

トレーナーが集まってピクニックをしたとき、ある飼い主が、自分のシェパードが食べ物を選り好みし、食べ物で釣れないと相談してきました。ところがその犬は、当の飼い主の背後で、捨ててあった紙皿からフライドチキンの屑をあさっていたのです。私は、チキンを切って、5分間でその犬にターゲット・スティックを触ることを教えました。教訓、犬の好きな食べ物を使いましょう。

確かに、えさを疑ってかかる犬もいます。犬の観点から見て、過去に無償のおやつが悪い結果に結び付いたことがあるのかもしれません。そのような犬の場合は、ゆっくり慣らします。

ただクリッカー、えさ、クリッカー、えさを何度か繰り返し、それを1日に2回行って、具体的な動作や時間にこだわらないようにします。

犬の食器のそばに立って、クリッカーを鳴らすごとにえさを落としてやるのもよいでしょう。犬が信用していなくても、えさが落ちる音が聞こえます。人間に下心がないのがわかると、犬は食べ始めます。飼い主にクリッカーを鳴らさせる2、3の方法を学習すると、もっとえさが好きになるものです。やってみてください。

「複数の犬がいるときは、どうするのでしょうか?」

犬たちを引き離します。1回に1匹ずつトレーニングし、他の犬は外へ出すか、別の部屋やケージに入れておきます。つないでおいてもいいでしょう。もちろん他の犬にもクリッカーは聞こえますが、えさがもらえないので混乱することはありません。自分の番が待ち遠しくなるだけです。

「トレーニング・セッションはどのぐらいの時間と回数にすればいいでしょうか？」

最初は、都合のよい時間に5分間が適当です。ペットでも人間でも、長時間のセッション1回よりも短時間のセッション複数回の方が学習効果が高いことを、科学者が実証しています。セッション時間が短い方が、楽しくて疲れず、忙しいスケジュールに組み込むのも簡単です。

「1回のセッションで複数の動作を教えることも可能ですか？」

もちろんです。「来い」、「座れ」、「付け」、それに小さな芸を1回のセッションで練習することもできます。バラエティがあるのは楽しいものです。ただ、やってはいけないのは、1つの動作の複数の点を同時に教えることです。たとえば、ドッグショーのマナーとして「尻尾を高く上げて走る」ことを教えている場合、その点についてだけクリッカーを鳴らしたり、クリッカーを控えたりしてください。犬が遅れたからといって突然叱らないでください。「ハンドラーに遅れずに走る」というのは、別問題です。別々に教えましょう。

「しつけ教室で教えているのですが、1つの部屋に犬と人間がたくさんいます。10人があちこちで同時にクリッカーを鳴らすような状態では、クリッカーが使えないと思います」

ほとんどの犬は、人間より聴覚が敏感です。教室でクリッカーを使うには、まず使い始めることです。犬たちは、まったく大丈夫でしょう。自分の飼い主がどこにいて、どこにえさを持っていて、音がどこから聞こえてくるのか、犬は知っています。クリッカーが3回鳴れば、犬はもう「自分のクリッカー」を覚えます。

「なぜ、クリッカーの代わりに、言葉を使わないのですか？」

言葉の「クリッカー」は、道具のクリッカーほど明瞭ではありません。したがって、新しい芸や動作を教えるには不向きですが、すでに習得した動作を維持するには使えます。クリッカーの代わりに、犬の頭や背中を軽くたたくなどの動作を使う人もいますが、これはドッグショーで便利です。

「トレーニングで間違ったことをしてしまったらどうなるのでしょうか？　犬がだめになりますか？」

間違えてしまったら、大きな声で笑って犬をなでてやりましょう。クリッカーが早すぎたり、遅すぎたり、間違ったことに鳴らしてしまったり、鳴らすべきタイミングを見逃してしまったりするのは、だれにでもよくあることです。長い目で見て、正しいタイミングで十分な回数を鳴らしていれば、犬に意思が伝わります。間違った罰は習得に大きなダメージを与えますが、間違った強化の1つや2つは無害です。クリッカー・トレーニングはクリエイティブな、相互の働きかけによる積み重ねの方法です。そして非常に寛容です。

「犬が間違ったことをしたら、どうするのでしょうか？」

クリッカーを鳴らしません。それだけです。「だめ」と言ったり、リードをぐいと引っ張ったり、犬を正しい方向へ押したりしてはいけません。罰、矯正、強制を加えても、動物がクリッカーを鳴らしてもらう方法を理解する助けにはなりません。強制力が必要だと考えているトレーナーは多くいますが、強制力によって動物の動作が確実になることはありません。確実なのは、犬の学習に対する意欲をなくすことだけです。

「犬を絶対に罰してはいけないということですか？　犬が跳びつく、噛む、食べ物を盗む、走って逃げる、などの行動をしたらどうするのですか？」

正の強化を使うということは、犬を絶対に叱ったり、力で制御したりしてはいけないという意味だと考える人がいます。それは、非現実的です。リードは、犬にとって現実的に必要なものです。知らない場所、人ごみ、知らない犬が多くいる場所へ行くときは、犬をリードに付けねばなりません。そしてもちろん、「いけない」の意味を理解させる必要があります。たとえば、手や衣服を噛んだり、キッチンカウンターから食べ物を取ろうとしたりするような行動には、介入してやめさせる必要があります。よい行動を強化するときと同様、間違った行動を正すときのタイミングも重要であることを覚えておいてください。飼い主の反応は、動作の直前でも後でもなく、最中でなければなりません。

矯正して叱ることで、行動をやめさせる（少なくとも人間が近くにいる間は）ことはできますが、新しい動作を教えるには非効率的です。新しい動作を教えるには、クリッカーとえさが最も効果的です。食べ物を盗む、ごみ箱をひっくり返すなどの行動については、自分の責任で周囲を監視し、犬を誘惑するものを犬が行ける場所に置かないようにしてください。

「犬との長い信頼関係のためには、犬に自分を尊敬させるか、むしろ怖がらせることが必要ではないですか？」

犬は、習得した動作が増えるにつれて、飼い主を信頼し、尊敬するようになります。そして、してはいけないことを犬に理解させるのも容易になります。また、強化を使ったトレーニングは、自分の意志で動作をする犬を作ります。犬は、自分に与えられた動作を理解し、自信を持ってやり遂げます。これが、本当の信頼関係です。

「命令について、この本はあまり触れていません。いつ、犬に命じればいいのでしょうか？」

犬が動作を習得したときです。まず犬は、座ればクリッカーが鳴ってえさがもらえることを学びます。そのあと、「座れ」と言われたときに座ったときにだけ、クリッカーとえさがあることを学びます。このように、言葉は、特定の動作に対して今ならえさがあるぞ、という信号となります。

罰を使ってトレーニングをしている場合、たとえばリードを引っ張らない練習のときは、まず犬を脅すのが妥当な手段です。つまり、犬を引くときは最初から「付け」と命じるわけです。犬にしてみれば、「付いて歩かないと、リードをぐいと引っ張るぞ」という意味です。犬は、押されたり引っ張られたりしたくないために、正しい動作を学びます。

クリッカー・トレーニングでは、犬が動作を習得するまで無意味な言葉をかける意味がありません。従来のトレーニングでは、命令は警告を意味していました。強化トレーニングで言う「指示」は、それまで何度もご褒美をもたらした動作に対するゴーサインなのです。

「指示を出しても犬が動作をしなかったら？」

その状況において、指示が確立されていないことになります。よくある例が、家では「来い」によく反応する犬が、リスのいる公園に行くと突然、指示に耳を貸さなくなるというものです。これは、犬が服従していないのではなく、ただその新しい環境で「来い」をしたことがなく、強化もされたことがないからです。「知らない場所で来る」「遠くから来る」「リスがいても来る」

という練習が必要かもしれません（最初はリードを付けて、徐々にステップアップします）。怒ったり、来ないといって罰したりするよりも、段階に分けてシェイピングする方が早く確実に動作を完成させることができます。

「いつ、えさをなくしたらいいのですか？」

これは、よくある質問です。クリッカーとえさは、新しい動作をすること、またはそれを新しい環境や難しい状況ですることを教えるためのものです。犬が動作を習得したあとは、もう当然のことですから、えさを与える必要はありません。

「服従競技会やほかの大会に出たいのですが？」

クリッカーは、完璧な脚側行進から物品選別のような高度な種目まで、服従競技をする犬に作業の性質を教える上で優れた道具です。頭を使う多くの訓練士たちが、伝統的な種目を矯正ではなく強化を使ってシェイピングする方法を編み出しています。新しい本が出版され、ビデオも出始めています。家庭犬から警察犬まで、あらゆる犬に強化を使う訓練士は増える一方です。それでも、この世界でクリッカーはまだ新しい方法です。どうぞ、参加してください。他の先駆的なクリッカー・トレーナーたちも、新しい意見を必要としています。

「競技会場ではクリッカーとえさが使えないのに、なぜ競技種目をクリッカーで教えるのですか？」

もう一度言いますが、クリッカーは動作を習得させる道具です。大会に出るころには、すでに習得段階は終わっているはずです。クリッカーの代わりに言葉を使い、えさの代わりになでたり褒めたりしているでしょう。ですから、会場でクリッカーとえさは不要です。

本番でめちゃくちゃになる犬の多くは、矯正で教えられた犬です。大会を重ねるごとに、犬の失敗は増えていきます。犬は、本番なら叱られないことを知っているばかりか、矯正がなければ何をしてもいいと思っているからです。皮肉なことに、会場で犬を褒めることは許されていますが、叱ることはできません。逆に強化を使って教えれば、大会での犬との意思疎通が有利となります。

「私の犬は、すでに服従訓練を十分に受けています。犬がすでに知っていることに、どうやってクリッカー・トレーニングを交ぜたらよいのでしょうか？」

交ぜないでください。少なくとも、犬も人間も新しい方法に慣れるまでは。服従訓練を教える講師であり、自身も競技に出場するモーガン・スペクター氏は、従来の訓練方法からクリッカー・トレーニングに変えた人ですが、そのような犬を「クロスオーバー・ドッグ」と呼びました。クロスオーバー・ドッグ（と、クロスオーバー・トレーナー）は、多くを学ぶとともに、多くを捨てる必要があります。ある意味では、経験をつんだ訓練士のほうが、初心者よりクリッカー・トレーナーを学ぶのが難しいかもしれません。犬がすでに知っている動作で、クリッカーを使うのはやめてください。何か新しいことで試しましょう。

「クリッカー・トレーニングを犬には使えるとしても、猫やほかの動物ではだめですか？」

いいえ、使えます。犬や馬は、人間を喜ばせるため（人間はそう考えたがります）、もしくは少なくとも人間を嫌がらせないために作業をします。野生動物、それに猫、ウサギ、鳥などのペットは、人間の意向をさほど重視していません。人間がそのような動物に向かって怒ったり、強制的に何かをさせようとしても、動物はパニックを起こすか、暴れたり引っかいたりして逃げようとするでしょう。ですから、「独立心がある」「服従心がない」「訓練できない」と言われるのです。

しかしどんな動物でも、えさを得るために行くべき場所となすべきことを学ぶ能力がありますす。クリッカー・トレーニングは、その自然の能力を使って動物に新しい情報を伝えるものですから、たとえば猫でも、ピアノの上へ行き（えさを得る場所）、前足で鍵盤を叩いて（えさを得るための動作）、魚をもらうというようなことは、クリッカーによって簡単に覚えます。だれがだれを教えたのでしょう？　猫は、自分が人間を教えたと思っています。そんなことを、だれが気にしますか？

「この方法は、人間の子どもにも使えますか？」

はい。子どもがしていることが正しいときに、そう伝えて褒美を与えることは、子どもが間違ったときに直させるより、ずっと効果的な方法です。子どもも、それを喜びます。

「配偶者はどうでしょうか？」

もちろんです。だれでも、正の強化は好きなものです。何よりもいいのは、配偶者と子どもその方法を学び、正の強化を逆に返してくれることです。クリッカー・トレーニングは、動物や人間に対してすることではありません。動物や人間と一緒にすることです。ですから、みんなが喜び、みんなが勝つゲームです。

第5章　クリッカー革命

犬と人間が一緒に学ぶ

クリッカー・トレーニングの基礎となる学問は1940年代からあり、海洋動物のトレーナーたちは1960年代からその理論を実践していましたが、ペット・オーナーに本格的に普及し始めたのは1990年代です。恐らく私の著書、*"Don't Shoot the Dog!"*（邦訳『うまくやるための強化の原理――飼いネコから配偶者まで』二瓶社）が、きっかけでしょう。しかし、本当の変化は、プロのトレーナーだけでなく、一般の犬の飼い主がクリッカーを持ち、それで何ができるかを学んだときに始まったと思います。

人々は、犬の悪い行動ばかりに着目するのではなく、自分にとって望ましい行動、クリッカーを鳴らすべき行動を探すようになりました。犬を「矯正」し、問題を解決するのではなく、よい行動を探して褒美を与えたいと思うようになりました。すると、問題も自然になくなってしまいました。クリッカーは、犬に褒美を与えただけではなく、飼い主の姿勢を変えました。飼い主は、犬が思ったより賢く、楽しい動物であることを悟ったのです。

犬の態度も変化しました。したいことの邪魔ばかりしていた人間が、クリッカーを持ったとたん、楽しい大切な相棒となりました。飼い主にクリッカーを鳴らさせることを学んだ犬は、それまで以上に飼い主に注目し、飼い主の意向に関心を払うようになりました。互いに反発することの多かった人間と動物が、一緒に学ぶパートナーとなりました。まさに、クリッカーの魔法です。たった2、3回鳴らしただけで、これだけの変化です。多くの人がクリッカー・トレーニングに乗り換えたのも、無理はありません。

クリッカー・トレーニングには、肉体的な技術も長年の練習も不要です。本書のような本やビデオ、インターネットから基本を学ぶことができます。電子メールを書く、コンピューターで文書を作る、Ｗｅｂサーフィンをする、といったことのように、先生なしで始めることができます。家の周りで短いセッションを重ね、腕を上げることもできます。「どうやって教えたの？　見せて！」という人には、簡単に基本を教えることができます。セミナー、教室、講習プログラムなども、トレーニング技術の発展と普及に貢献しています。インターネットも、Ｗｅｂサイトՙ、チャットグループ、そして元祖「クリッカー・リスト」を始めとするメーリングリストを通じて、膨大な情報とサポートを提供しています。

人々がクリッカー・トレーニングを知り、交流して腕を磨くようになると、クリッカー・クラブやクリッカー・センターが世界中にできました。フィンランドからタスマニア、シンガポールからスウェーデン、そしてロシアからブラジルまで。ドイツで、イギリスで、オーストラリアで、アメリカじゅうで、すばらしい斬新なテクニックと応用法が独自に編み出されました。自分自身のトレーニング方法を作り、本を書き、ビデオを作り、オンラインやオフラインで教える人も増えました。インターネット・データによると、２００２年には少なくとも30万人がクリッカーを使うことになるそうです。これは、科学的理論に裏付けられているだけでなく、人々の中から、人々によって、そして素敵なペットたちによって生まれたブームです。

馬、猫、鳥、その他のペットに広まる

私は１９６３年、ハワイにある海洋水族館のシーライフ・パークで、この理論を使ってトレーニングを学び始めました。そこでは、イルカのトレーナーたちがマーカー（合図）、強化子、言葉やジェスチュアによる指示を使い、さまざまな動作を作り出しました。そして、野生の海鳥、アザラシ、犬、ハワイの野豚、熱帯鳥、魚、タコのほか、自分たちのペットにも適用しま

した。私たちは、クリッカーがどんな生き物にでも働くことを発見しました。しかし、犬には急速に普及したにもかかわらず、旧来のトレーナーにとっては、他の動物にも使えるとはすぐには考えられませんでした。

アレクサンドラ・カーランド氏は、馬のトレーナーであり、高等馬術の騎手ですが、１９９８年の著書"*Clicker Training for Your Horse*"で、初めてこの壁を破りました。まもなく、アメリカ、カナダ、イギリス、ヨーロッパ（特にドイツ）で、馬に教えるべきことすべてを、拍車、はみ、鞭、強制力を使わず、この新しい方法で教えようと試みる人が何千人も現れました。そして、新しくこの方法をマスターした騎手やトレーナーが、記事、本、ビデオ、応用方法を発表するようになりました。馬たちは、この方法を喜び、すぐに学習して生き生きと動くようになりました。高度に調教された競技用の馬に最後の仕上げを加えるにも、攻撃的で危険な馬を直すにも、子馬や2歳馬を調教するにも、そしてあらゆる馬を安全で扱いやすくするためにも、クリッカー・トレーニングは効果的な手段となりました。また、馬の調教にまったく経験のない何千人もの素人が、かつて頑固で扱いにくかった自分の馬を、協力的で賢いパートナー、そして友達に変えることができました。

もちろん、クリッカー・トレーニングは、他のペットや家畜にも使えます。犬のアジリティ種目をヤギとロバに教えた人もいます。米国西部では、ペット用、牧畜用、または毛を利用するためにラマやアルパカがよく飼われていますが、そのオーナーやブリーダーにもクリッカー・トレーニングが当たり前となりました。猫専用のクリッカー・トレーニングの本、ビデオ、Webサイト、メーリングリストもあります。クリッカーを使ってかわいい芸を教えることで、家の中で飼っている猫を運動させ、猫とコミュニケーションをとり、楽しむことができます。面白くて健康的な活動をさせることで、望ましくない行動もなくなります。

鳥類、特にオウム類は、人工的な飼育と繁殖で入手しやすくなったために、非常に人気の高いペットとなりました。しかし、オウム類は、けたたましく鳴き、噛み付き、自分の羽毛を抜くなど、管理が難しい場合があります。罰しても、状況は悪くなるばかりです。正の強化とマーカーを使えば、初心者でさえオウム類――頭が良く、面白いが、非常に感情的な鳥――をうまく扱うことができます。鳥のクリッカー・トレーナーたちも、Webサイトやメーリングリストを使って情報を交換しています。

ネズミ、ハムスター、ウサギなどの小動物とも、楽しいクリッカー友達になれます。特に9

歳以上の子どもたちにお勧めです。小さなペットのクリッカー・トレーニングは、学校の理科研究のいい題材となりますし、子どもたちは、えさやりと掃除以外にもペットと遊ぶことができて喜びます。多くのげっ歯類は、褒美にもらったえさを巣に貯めこみますから、簡単に多くの動作にクリッカーを鳴らすことができます。小さなペットには、曲芸をさせたり、鉛筆やレーザーポインターなどのターゲットを追わせて障害物コースを走らせたりすることができます。小さな物を運んでびんや箱に入れる、指示に合わせて輪やトンネルを跳ぶ、くぐる、といったこともできます。哺乳類に限定する必要は、まったくありません。魚——健康で食欲があれば——も簡単です。好きな食べ物をご褒美に、フラッシュライトをクリッカーの代わりに使って、輪をくぐる、ターゲット目がけて跳ぶ、などの動作を教えることができます。

ライオン、トラ、クマ……

一部の動物園は、１９７０年代にすでに、海洋動物のトレーニング・テクニックを他の動物に応用していましたが、一般にクリッカー・トレーニングが知られるようになると、クリッカーを使う動物園が増えました。１９９８年には、100カ所を超す米国の動物園で飼育係がクリッカーを使うようになりました。クリッカーを使えば、極めて大型で危険な動物でさえ、健康診断が容易となります。普通はまず、クリッカーとえさを使って、布を巻いた棒のターゲットに鼻を押しつけることを教えます。このターゲットを使えば、動物を檻から檻へ移動させる、檻の清掃中に邪魔にならない位置へ行かせる、などができます。

もっと大切なのは、動物園でいう「ハズバンドリー」、つまり飼育係が動物の治療や手入れをする際に、動物をターゲットの前にじっと立たせておけることです。ライオン、サイ、ゾウ、ホッキョクグマなどでも、ターゲットの前に自主的に立たせ、簡単に血液を採取したり、注射を打ったりすることが可能となりました。クリッカーとえさを使えば、小さなげっ歯類や大きな鳥の体重計測、キリンのひづめ切り、サイにとって非常に重要な足の手入れもできます。オランウータンやゴリラに、ちゃんと自分の子の面倒を見るよう教えることすらできます。

動物は、追い込みケージのストレスを感じることも、緊急時の最後の手段である麻酔（しばしば危険が伴います）を打たれることもありません。クリッカー・トレーニングのおかげで、繁殖に必要な希少種も含め、動物園のあらゆる動物と鳥たちが、ストレスを感じることなく予防注射などの処置を受けられるようになりました。

使役犬にもクリッカー？

クリッカー・トレーニングは、ペットの飼い主にとって簡単で楽しいことであり、多くの家庭犬を幸せにしてきました。しかし、障害者を助ける介助犬、犯人を追いつめ逮捕に貢献する警察犬、隠された麻薬や爆弾を見つける犬たちを教えるための長年培われてきた方法の代わりにはなるのでしょうか？

確かに、トレーナーさえやってみる意志があれば可能です。米国ワシントン州シアトルの警察官であるスティーブ・ホワイト氏は、足跡追及や防衛などの作業を教えるためのクリッカー・トレーニングを編み出し、多くの警察関係のトレーナーに伝授しました。さらに、麻薬、爆弾、現金、輸出入禁止食品など、隠蔽された違法な物品を探し出す探索犬のためのクリッカー・トレーニングも教えています。

何らかのマーカーを使った正の強化は、犬に正確な情報を伝え、探すものが何であれ嗅覚作業犬のトレーニングを容易にします。一部の国では、オペラント条件づけで地雷探知犬に教えることも試みられています。地元のハンドラーにクリッカー・トレーニングを教え、地元の犬たちに地雷探知を教えるということも、実現すれば効果的でしょう。しかし現在のところ、このような探索犬、探知犬を提供する組織が採用しているのは、極めて伝統的な方法から最新の方法までばらばらであり、ほとんどは新しくもなければ古くもない方法を使っています。

目の不自由な人のための盲導犬には、たいてい伝統的な方法が使われているのと対照的に、比較的新しい分野である障害者のための「介助」犬のトレーニングには、オペラント条件づけが多く採用されています。介助犬の仕事には、かばんなどの物をくわえて運ぶ、落とした物を拾う、携帯電話やテレビのリモコンなどを見つけて取ってくる、照明や電化製品のスイッチを入れる・切る、ドアの開け閉め、障害者が歩いたり立ち上がったりする際の支えとなる、車椅子を引っ張る、などがあります。イギリスの団体、"Dogs for the Disabled（障害者のための犬）"などでは、従来の矯正主体のトレーニングではなく、正の強化を使っています。同じくイギリスの団体"Canine Partners for Independence（自立のための犬のパートナー）"代表のニーナ・ボンデレンコ氏は、クリッカー・トレーニングだけを使って介助犬を育てています。生後8週間から子犬を預かって、家に慣れさせ、一般的なマナーを教えるのは、クリッカーを使うボランティアたちです。若犬が正式なトレーニング・プログラムに入るころには、すでに50以上の言葉による指示と便利な動作を習得しているということです。

介助犬になる正式なトレーニングにも、やはりクリッカーが使われます。介助犬を受け取る人もクリッカー・トレーニングを習うので、自分で新しいことを教えられます。やはり重要なことですが、身体に障害を持つ人もたいてい、間違った行動を物理的に矯正する従来の方法よりも、正しい行動をクリッカーでマークする方法のほうが、ずっと簡単に犬の技術を維持することができると言います。

人間はどうか？

もちろん正の強化は人間にも通用します。人間においても、動作が起こった瞬間を、言葉よりマーカーのほうがはるかに正確にキャッチします。しかし、子どもが行儀よくバスに乗る、レストランで静かに食事をする、といった行動にクリッカーを鳴らすというのは、いささかやりすぎではないかと思われるかもしれません。肝心なのは、考え方です。クリッカーの考え方に慣れると、何か悪いことをしたときだけ子どもを見るのではなく、いい行動に着目して褒美を与えようという姿勢になります。

クリッカーが人間においてすばらしい威力を発揮するのは、タイミングが重要な肉体的技術を教える場合です。体操では、コーチの話す速度よりもはるかに速く動作が進行します。しかし、クリッカーであれば、選手が空中にいても正しい動きをマークすることができます。歌唱、言語、飛行機の操縦などの複雑な作業を教えるのに、クリッカーが試されています。それに、クリッカーで習得した技術は、永久的に失われません。私の友人は、3歳の娘にアイススケート靴を履いてバランスを維持することを教えました。6カ月後、次のスケートの季節が来たころ、少女は最初から完璧に滑っていました。

学習の法則は、科学的な法則です。だから、クリッカー・トレーニングは効果的なのです。しかし、クリッカー・トレーニングの理論、つまり私たちがトレーニングしながら発見しつつある法則は、まだ学問的には完全に理解されていません。クリッカーは、話し言葉より早く結果を出せるのか？　もちろん経験的には、そうです。言葉をマーカーに使ってトレーニング教室で教え、次にクリッカーを使って同じことを教えた人たちの報告が、それを実証しています。確かに犬も飼い主も、クリッカーを使えば半分の時間で新しい動作を習得できるといいます。確かに速いとは言えるのですが、なぜかはわかりません。また、クリッカー・トレーニングの副作用もあります。動物が興奮してしまい、頭に血がのぼって正しく考えられなくなることです。多くの若手研究者、特にノーステキサス大学のグループが、クリッカー・トレーニングから生まれた疑問の数々を研究していますから、今は出せない答えも、いつかわかるときがくるでしょう。

今できるのは、クリッカーを使い始めた何千、何万もの人たちを、動物だけでなく自分についてもわかったことやトレーニングの結果を報告してくれる人たちを見守ることです。以下に書くのは、人々が報告してくれたことに基づいています。

クリッカー・トレーニングの基本となる概念によって、ペット、人間、もしくは会社に対する自分の考え方が変わります。つまり、動作というものは、大きな固まりではなく小さな断片によって形成する必要がある、という考え方に慣れるのです。期待しすぎたり、結果を早く求めすぎたりすることをやめ、強化できることだけを見るようになります。それが実は、速く大きな成果につながります。

望ましくない行動を見ると、早くやめさせようとあせるのではなく、トレーニングのチャンスだと考えます。この動物（または人間、会社など）が知らねばならないのは何だろう？　何が欠けているのだろう？　この悪い行動の代わりにどんな行動を教えたらいいのだろう？　脅したり怒ったりするのをやめ（もし、それまでそうしていたのであれば）、小言やぐちもやめます。嫌なことを攻撃するのではなく、好きなことを強化する、といういい方法があるからです。クリッカー・トレーニングを「内面化する」と言う人もいます。いったんクリッカーに乗り換えたら戻れない、と言う人もいます。ここにも、未だに答えのわからない疑問は多くあります。しかし、クリッカーを使う人に聞けばだれでも、これは単なる便利なトレーニング法以上のものだと言うでしょう。生活一般において、ストレスが少なく、楽しくなるのです。あなたのために、ペットのために、そして周囲のみんなのためにも……。さあ、クリッカーを鳴らしましょう。

第6章　参考資料

詳しい情報とアドバイスを得るには

情報源とトレーニング用品について

www. clickertraining. com

カレン・プライアのクリッカー・トレーニング本部は、拡大しつつある国際的なクリッカー・コミュニティの中心となっています。①ニュースや記事を読む、②最寄りのクリッカー・トレーナーを検索する、③電子メールのニュースレターを受け取る、④「クリッカー・オナー・ロール」（クリッカー訓練を受けた犬、猫、馬の最近の受賞、成績）に名前を載せる、⑤リンクからほかのＷｅｂサイトを見る、⑥犬、猫、馬、鳥に教えるトレーナーたちのメーリングリストを見つける、など有効に利用してください。クリッカーに関する本、ビデオ、用具類を購入するには、オンライン・ショッピングを利用してください。

www. dogwise. com

犬に関する本と製品の大手オンライン・カタログです。ジェントル・リーダー（引き癖を抑えるために頭と口にかけるリード）も各サイズ、各色そろっています。

クリッカー・トレーニング用具

●クリッカー・ファン・パック（自動巻取り付きクリッカー、固定ホルダー付きクリッカー、クリッカー3個セットのいずれか）。丈夫なクリッカーと、犬に芸を教える簡単な10ステップを書いたカード（何種類かあり）のセット。$7・95

●ターゲット・スティック。アルミ製折りたたみ式スティックで手軽にトレーニングができます。$16・95

クリッカー入門キット

"Getting Started: Clicker Training Kit"には、クリッカーを始めるための必需品がすべて入っています。本、ポケットガイド、クリッカー2個、えさ小袋のセット。

Getting Started: Clicker Training for Dogs KIT　$16・95
Getting Started: Clicker Training for Cats KIT　$16・95
Getting Started: Clicker Training for Horses KIT　$16・95
近日発売

Getting Started: Clicker Training for Birds KIT　＄16・95

【訳注】日本の読者のために本書の訳者、船江かおりが日本語のサイトを開いています。http://www.kjps.net/~funae/で、クリッカーや『うまくやるための強化の原理』などの書籍を購入できます。また、ＹＯＫＯＨＡＭＡ　ＤＯＧ　ＰＡＲＴＹのサイト http://www.dogparty.net/でも、クリッカーや書籍、ビデオ、日本語版の入門キットなどが購入できます。リンクサイトの紹介もあり、いろいろな情報も得ることができます。

クリッカー・トレーニングに関する書籍

“*Clicking with Your Dog, Step-by-Step in Pictures*” Peggy Tillman 著
ステップ・バイ・ステップのわかりやすい絵を見て、クリッカー・トレーニングが学べます。トレーニングを簡単で楽しいものにする最新刊。家で留守番をする犬がトラブルを起こさないための遊び、排泄のしつけ、かわいい芸など１００種類以上の動作を収録。どこでクリッカーを鳴らし、どこでえさを与えるかを明確に図解。＄24・95

日本語版が近く二瓶社から刊行の予定です。

"Click to Win: Clicker Training for the Show Ring" Karen Pryor 著

ＡＫＣ（アメリカン・ケネル・クラブ）の会報に連載された人気記事をカラーで収録。犬種、年齢を問わず、あらゆる犬（生後数カ月以内の子犬も含む）に、ドッグショーで姿勢正しく立ち、堂々と歩くことを教えます。子犬のクリッカー・トレーニング、しつけ、高度なトレーニングに関する章も。＄24・95

"Clicker Training for Obedience" Morgan Spector 著

クリッカーを使って、競技犬、介助犬、家庭犬に服従種目を教える理由と方法を解説。迎えたばかりの子犬に教えたい読者にも、服従競技を目指す読者にも、初歩から成績を上げるまでの方法を具体的に説明します。イラスト豊富な２６０ページの大型本。用語集と参考資料付き。＄29・95

"Clicker Training for your Horse" Alexandra Kurland 著

あなたの馬を理想の馬に変身させるお手伝いをします。クリッカー・トレーニングによって、強制力を使わず、馬との明確なコミュニケーションを実現する方法を、わかりやすくて楽しいアドバイスと写真で説明。２００ページの大型本。$29・95

"Don't Shoot the Dog! The New Art of Teaching and Training" Karen Pryor 著

日本語版のタイトルは『うまくやるための強化の原理——飼いネコから配偶者まで』河嶋孝・杉山尚子訳、二瓶社、￥1、400

ペットのためだけでなく、授業にもスポーツにも生活にも応用できる強化トレーニングのバイブル。米国心理学協会賞を受賞。30万部以上を販売。$13・95

"Lads Before the Wind: Diary of a Dolphin Trainer" Karen Pryor 著

笛とバケツ1杯の魚でクリッカー・トレーニングを行った、ハワイでのイルカ訓練の優れた回想録。$16・95

クリッカー・トレーニングに関するビデオ

"Puppy Love"

カレン・プライアが、素敵な家庭犬を育てるペットに優しい方法として、クリッカー・トレーニングを紹介。寝る場所、行ってもいい場所、跳び上がらずにお客様をお行儀よく迎えること、呼ばれたら来ること、リードを引っ張らずに歩くことなどを、家族全員で子犬に教えましょう。不用犬をもらい受けた場合に有効なアドバイスも。クリッカー1個付き。

VHS（米国版）$24.95
PAL（欧州版）$34.95

日本語版が近く二瓶社より刊行の予定です。

"Clicker Magic!"

犬、子犬、ラバ、魚、猫を対象とした20の最新トレーニング・セッションで、基本理論、タイミング、クリッカー・トレーニングの可能性を紹介します。

VHS（米国版）＄39・95
PAL（欧州版）＄49・95

送料と手数料が別途かかります。ご注文は、www. clickertraining. com へ。

クリッカー・メーリングリスト

www. clickersolutions. com

犬や他の動物を飼う人を対象とした、初心者にもやさしいＷｅｂサイトとメーリングリスト。オーナーは、“*Clicker Solutions: The Clicker Training Answer Book*”（２００２年秋出版）の著者、メリッサ・アレクサンダー氏。

www. click-l. com

膨大な参加者があり、話題から外れた発言は厳しくチェックされる最も古いクリッカー・メーリングリストとｗｅｂサイト。

The Well Mannered Dog: www. shirleychong com

クリッカー・トレーナー兼教師であるシャーリー・チョン氏のＷｅｂサイト。アジリティ、服従、簡単な芸などに関するヒントとアイデアを満載。

www. bestbehavior. net

“*Clicker Training for Obedience*”の著者でクリッカー・トレーナーのモーガン・スペクター氏が管理する便利なＷｅｂサイト。

〔著者紹介〕

カレン・プライア　米国の動物行動学者。１９６０年代からイルカのトレーナーとして「オペラント条件づけ」を実践し、１９９２年、初めて犬や猫のためのクリッカー・トレーニング・セミナーを開催。以降、クリッカー・トレーニングはアメリカ国内で急速に普及した。著書、ビデオなど多数。

〔監訳者紹介〕

河嶋《かわしま》　孝《たかし》　１９３７年東京生まれ。文学博士。元日本大学生物資源学部教授。日本行動分析学会元会長。

〔訳者紹介〕

船江《ふなえ》かおり《かおり》　１９６９年神戸市生まれ。大阪外国語大学卒業。

表紙絵・イラスト＝藤江真紀子
装幀＝森本良成

犬のクリッカー・トレーニング

２００２年10月25日　初版第１刷
２０２４年６月25日　第７刷

著　者　カレン・プライア
監訳者　河嶋　孝

発行所　有限会社二瓶社
ＴＥＬ　０３-４５３１-９７６６
ＦＡＸ　０３-６７４５-８０６６
郵便振替　００９９０-６-１１０３１４
e-mail: info@niheisha.co.jp

印刷所　亜細亜印刷株式会社

Printed in Japan
ISBN 978-4-931199-96-5 C1011